El mágico mundo de las

HADAS

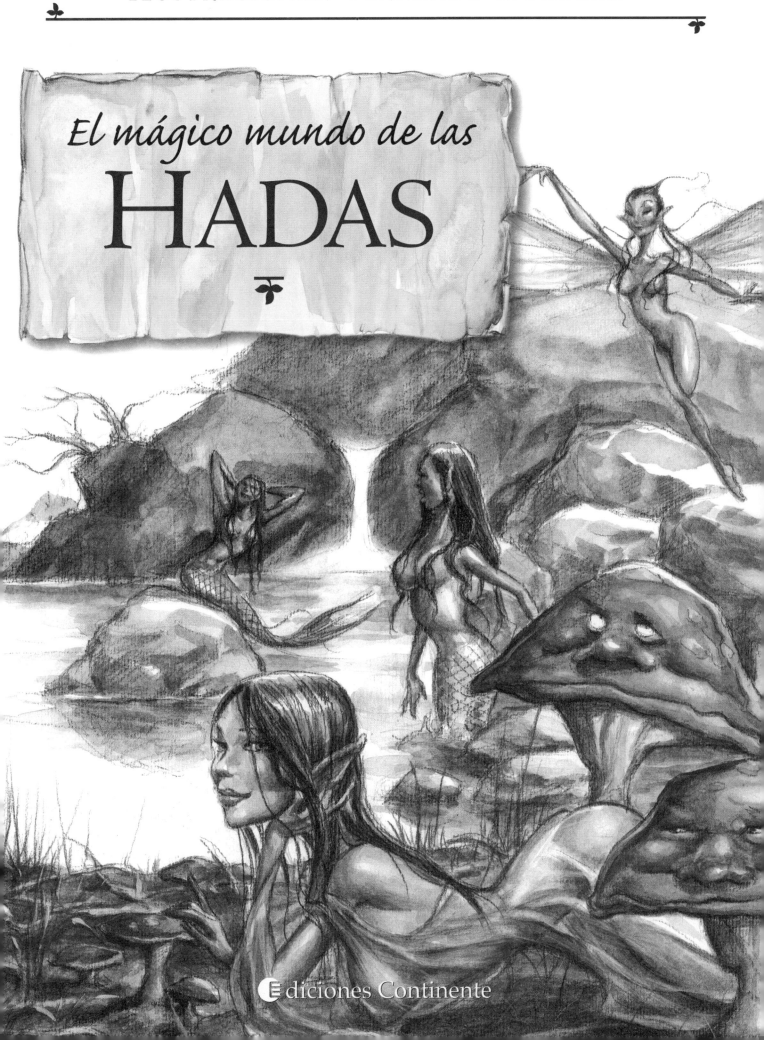

ROBERTO ROSASPINI REYNOLDS
ILUSTRACIONES: FERNANDO MOLINARI

El mágico mundo de las HADAS

ediciones Continente

Bienaventurados los que
aún conservan,
en algún lugar del corazón,
la capacidad de asombrarse,
pues ellos heredarán
el reino de lo intangible—

EL MUNDO DE LAS HADAS

ORÍGENES

Aunque con el correr de los milenios se ha perdido la fecha exacta de su origen, cada comunidad de hadas festeja con gran entusiasmo la fecha en que considera que ha sido creada, aunque ésta, por supuesto, se remonte a los tiempos más antiguos de la Tierra, cuando los cerros, los mares y los cielos todavía estaban en formación y no había señales de la existencia de árboles ni animales.

Existen tantas teorías sobre el origen de las hadas como personas se animan a formularlas, pero casi todas ellas (por no decir todas) coinciden en que descienden directamente de los espíritus primitivos del planeta; esta teoría tiene su confirmación en la íntima relación entre las hadas y la Naturaleza (prados, océanos, ríos, bosques, montes, etc.) según lo atestiguan infinidad de leyendas, especialmente las celtas, nórdicas y teutónicas.

Una de las tradiciones más curiosas, de origen escandinavo, afirma que del cadáver de Ymir, el gigante primigenio, brotaron gusanos negros y blancos, de los cuales los primeros se transformaron en hadas del aire, gráciles y traviesas, y los segundos en elfos subterráneos, oscuros y malignos.

En Cornwall (indudablemente bajo la influencia cristiana), las leyendas sostienen que las hadas, así como toda la Gente Menuda, como se denomina genéricamente también a Duendes, Elfos, Gigantes, Ogros y Elementales, son las almas de los muertos paganos que murieron antes de ser bautizados y cuyo comportamiento en vida no fue suficientemente bueno para acceder al Cielo, ni suficientemente malo para merecer el Infierno; por lo tanto, deben permanecer suspendidos en un estado indefinido, hasta que el Ser Supremo decida el destino del Hombre sobre la Tierra. También se incluyen en esta descripción las almas de los niños no bautizados, que esperan en una especie de limbo su autorización para su ingreso al Paraíso de los creyentes.

Lady Wilde, una de las más destacadas recopiladoras de narraciones populares irlandesas, afirma sobre las leyendas feéricas modificadas a raíz del advenimiento del cristianismo:

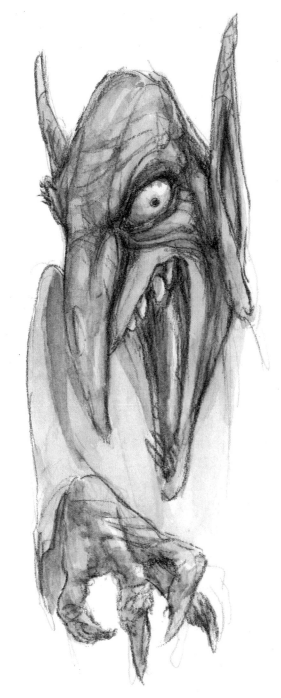

"... la mayoría de los habitantes de Erín cree que las hadas son ángeles caídos que fueron expulsados del cielo por el Todopoderoso, a causa de su orgullo y su desprecio por Sus postulados. Así, algunos cayeron al mar, y fueron sirenas; otros a tierra, y fueron hadas, y otros en las cuevas y fosos, y se transformaron en criaturas subterráneas. Aquéllos que cayeron en lo más profundo de los infiernos fueron los protegidos por Satanás, quien les da conocimiento y poder y los envía a la Tierra, encargándoles esparcir el mal por todos sus confines.

Sin embargo, las hadas de la tierra y el mar son generalmente bellas, buenas y generosas, si se respetan sus principios, y no causan daño a menos que se las moleste y se les impida cumplir con sus funciones y danzar tranquilas en sus predios feéricos, bajo el resplandor de la luna, sin que los humanos interfieran con sus entretenimientos y juegos".

La tradición anglo-sajona, en cambio (especialmente en los comienzos del puritanismo cristiano, ya en el siglo XVI) sostenía que las hadas

"... son los espíritus traviesos de niños que han muerto sin bautizar y se transforman en pequeños seres con forma de mariposas blancas, que aparecen en las noches de luna, y gustan de juguetear entre las ramas de árboles y arbustos y de asustar a los animales domésticos de las granjas. También se dice que son invisibles a los ojos humanos, pero las almas sencillas y libres de malos pensamientos, especialmente los niños, pueden verlos y hablar con ellos y, a veces, hasta son invitados a participar de sus juegos".

Sin embargo, a medida que la doctrina puritana se expandía, las hadas pasaron a ser consideradas puros y simples demonios, sin atenuante ni paliativo alguno, y lo mismo sucedió con el resto de la *Gente Menuda*.

CLASIFICACIÓN Y APARIENCIA

L a división o clasificación más aceptada para los seres mágicos femeninos, que llamamos "hadas" en su conjunto, es en: Hadas Terrestres (entre las cuales se incluyen las del Aire), Hadas de las Aguas o Sirenas, Hadas Domésticas u Hogareñas, y Hadas Malévolas.

Por regla general, se considera que los humanos no pueden ver a las hadas a simple vista, a menos que ellas estén abstraídas en sus trabajos o diversiones, en cuyo caso pueden mostrarse con muy diversas apariencias, desde bellezas iridiscentes que irradian una hermosa luminosidad opalina, hasta horribles ancianas jorobadas y verrugosas, pasando por diferentes aspectos no humanos, como aves, cabras, plantas y hasta ráfagas de viento.

Entre las hadas de la tierra y el aire, cuando se presentan en forma humana, si bien su tamaño suele variar desde pocos centímetros hasta la altura de una persona, su rostro es normalmente de rasgos simpáticos, y su cabello suele variar desde el negro azabache hasta el rubio platino, pasando por el rojo y el dorado, invariablemente adornado con flores de bellos colores y plumas de aves. Sus cuerpos son armónicos y hermosos, y muchos testigos aseguran que están rodeadas de un halo a modo de aura, que las torna aún más enigmáticas y atractivas.

Normalmente suele describírselas vestidas con trajes de bellos pero discretos colores, por lo común en gamas de blanco, rosa, celeste y verde agua. Claro que todas estas apariencias pueden ser, simplemente, una ilusión creada por la misma hada...

Las Hadas del Aire suelen tener alas similares a las de las mariposas o las libélulas, con las cuales gustan de revolotear juguetonamente entre las flores y las ramas de los árboles.

Las Hadas de las Aguas son criaturas seductoras, cuyo canto se dice que atraía a los marinos y pescadores, haciéndolos estrellarse contra las rocas y sumergiéndolos luego en el mar, de donde jamás regresaban.

De acuerdo con el testimonio de la testigo de la aparición de un hada en Escocia, hace algunos años:

"La criatura tenía una piel muy clara y reía constantemente; parecía embargada de una alegría que resultaba contagiosa. Su expresión era franca y abierta y no expresaba temor alguno, sino un gesto casi burlón, como si disfrutara del impacto que causaba a los humanos.

Estaba rodeada de un halo luminoso, de color dorado intenso, que permitía percibir el contorno de sus alas; repentinamente, su expresión y sus modales cambiaron, cruzándose de brazos y adoptando un gesto serio, casi adusto, que hizo que su aura disminuyera considerablemente. Permaneció en esa actitud lo que me pareció un largo rato, y luego desapareció en una explosión de color, que hizo que las plantas a su alrededor quedaran cubiertas de un polvo dorado, que se esfumó al poco tiempo".

Las Brujas o Hadas Malévolas presentan una apariencia física que puede oscilar entre una fealdad absoluta, como la de las Brujas del Tiempo o una belleza exótica y cautivadora, como las Roane y las Asraii.

También fluctúan en su grado de maldad: las hay caníbales, como la Black Annis y la Luideagh; vampiras, como la Baoban Shee y las Korrigans, y secuestradoras de niños, como las Bandit y Mamaugh, o simplemente vengativas, como la mayoría de ellas cuando consideran que un ser humano las ha agraviado.

HÁBITATS DE LAS HADAS

Existen muchos y muy diversos sitios elegidos por las hadas para refugiarse, entre los que suelen contarse castillos maravillosos, islas inaccesibles, árboles añosos, cuevas y grutas en el seno de las rocas y túmulos ocultos, sin olvidar las más variadas profundidades acuáticas alrededor del mundo entero.

Los túmulos funerarios (sith, en gaélico) son las viviendas preferidas por las hadas irlandesas, en los cuales viven una vida feliz, dedicadas a sus juegos y entretenimientos predilectos.

La Isla de Avalón, mencionada en la saga del Rey Arturo, es la residencia de la Fata Morgana, su hermana, y las cuatro reinas-hadas que, con ayuda de Merlín, lo sumieron en el sueño letárgico que les permitiría conservar su cuerpo en eterno reposo hasta que su país, Gales, requiriera nuevamente de sus conocimientos bélicos y su incorruptible valor.

También los árboles son la morada de muchas de las hadas de la Naturaleza, que defienden las plantas de los desmanes humanos, a veces castigando severamente a quienes destruyen irracionalmente los bosques vírgenes.

Como ejemplo puede mencionarse a las Aguane, hadas mediterráneas, protectoras de los bosques y los arroyos que, a pesar de su carácter usualmente pacífico, enfurecidas por un ataque vandálico a un árbol, o aun a una flor, son capaces de destrozar con sus propias manos al humano que lo perpetra.

Las Hadachi, por su parte, hadas japonesas guardianas de los bambúes, extienden su protección a los cerezos, almendros y rododendros, y cercenan sin piedad las manos de aquéllos que se atreven a cortar las flores o tronchar sus ramas sin necesidad.

ENTRETENIMIENTOS Y JUEGOS

Sin lugar a dudas, los entretenimientos más frecuentes y universales entre las distintas comunidades feéricas son: en primer lugar, la danza, a menudo con el acompañamiento instrumental de músicos humanos raptados ex profeso; en segundo término, cabalgar sobre los animales de alguna granja vecina (ovejas, cabras, etc.), hasta dejarlos agotados y, como tercera opción, aunque no menos divertida para ellas, molestar a los seres humanos, especialmente cuando duermen, pinchándolos con alfileres, tirándoles de las orejas o del pelo, haciendo ruidos con los cacharros y cubiertos en las cocinas o abriendo y cerrando violentamente las puertas. La narración que sigue demuestra lo peligrosos que pueden ser los corros de hadas —danzas grupales en círculo— para los viajeros desprevenidos.

En una pequeña localidad rural de la región de Teshio-gawa, al norte de Japón, un joven pastor de nombre Isomu se topó inesperadamente en un claro del bosque con un grupo de diminutas criaturas que danzaban, y se unió a ellas. Bailó durante lo que le pareció una hora entera, al cabo de la cual cesó la música, y el muchacho inició el camino de regreso a su casa. Sin embargo, al llegar allí la encontró cambiada, más vieja y decrépita, y con una espesa hiedra reptando por sus paredes. También lo sorprendió ver a un anciano desconocido junto a la puerta, quien le preguntó quién era y qué buscaba por allí. Desconcertado, Isomu le dio su nombre, y una palidez mortal cubrió el rostro del anciano, que musitó con voz casi inaudible:

—No te conozco ni tú a mí, pero infinidad de veces he oído a mi abuelo, tu hijo, relatar los detalles de tu desaparición.

Al comprender que su ausencia no había durado sólo unas pocas horas, sino más de cien años, Isomu cayó al suelo como golpeado por un rayo, y su cuerpo se deshizo en polvo sobre el umbral.

Un granjero de Lincolnshire, al norte de Inglaterra, comenzó
a ver que muchas de las ovejas de su majada amanecían cansadas y
jadeantes, como si hubieran estado corriendo toda la noche.
Preocupado, decidió pasar una noche
completa en el establo, y alrededor
de la medianoche pudo ver un
grupo de pequeños seres cuyos
cuerpos despedían una
luminosidad lunar y que,
abriendo las puertas del
granero, sacaban las ovejas al
prado y las montaban
alegremente, haciéndolas
galopar hasta que los pobres
animales quedaban
deshechos de cansancio.
Sin saber qué hacer, el granjero
recurrió a la curandera del pueblo, quien le dio una pócima para frotar
con ella a los animales, y con eso solucionó su problema definitivamente.

Otra de las diversiones predilectas de las hadas,
especialmente las domésticas, es molestar a los
habitantes de la casa en que sirven, durante el sueño.

Un ama de casa del pueblo de Magheny, a orillas
del Loch Ness, se despertó una noche sintiendo agudas
punzadas de dolor en las orejas y la nariz, y al
mirarse en el espejo pudo ver en ellas picaduras
como de mosquito. Preocupada, consultó a una de
las ancianas del pueblo, y ésta, sabiendo que la casa
de la mujer era frecuentada por las Ellyllon, que
la ayudaban en sus tareas domésticas, le
aconsejó que dejara todas las noches, junto a la
chimenea, un recipiente con leche y un plato de pan.
Intrigada, la mujer siguió su consejo, y así pudo
dormir tranquilamente, mientras las hadas
continuaban por las noches ayudándola en sus
tareas, después de haberse bebido la leche y comido
el pan que dejaba la mujer junto a la chimenea.

COSTUMBRES

Las fuentes termales y medicinales de todo el mundo, tan concurridas por personas que desean aliviarse de alguna enfermedad crónica, son también las preferidas de las hadas para tomar sus baños matutinos, como lo atestigua una narración germana de principios del siglo XVI:

Hans Obermayer, un joven nativo de Niederdorf, en la región austríaca de Wienerwald, y custodio de la principal fuente de aguas termales de la zona, se levantó una mañana y, como de costumbre, se dirigió a la reja que cercaba la fuente, con la idea de acomodar el lugar antes de que comenzaran a llegar los primeros pacientes en busca de alivio. Sin embargo, al llegar a la puerta descubrió con sorpresa que no podía abrirla pues, apenas la entornaba unos centímetros, la reja volvía a cerrarse de golpe. Finalmente, cuando logró colarse dentro y llegar hasta la fuente, recibió la sorpresa de su vida: en toda la superficie del agua, sumergiéndose, flotando y zambulléndose en ella, bullía una verdadera pléyade de pequeños y delicados cuerpos femeninos, de no más de 30 cm de alto, vestidos con túnicas verdes, que parecían disfrutar mucho de aquel reparador baño matinal.

—¡Hola, señoritas! —exclamó Hans en alta voz. Y aquello fue suficiente para que la bulliciosa grey se batiera en retirada, parloteando en una jerga totalmente incomprensible para el joven. Fue la única vez en que Hans pudo ver personalmente a las Seligen Fraulein (que así se llaman esas pequeñas hadas), pero nunca pudo olvidar aquella imagen y, en más de una oportunidad, descubrió en la fuente indicios de su presencia, como si otra vez hubieran vuelto a disfrutar de su baño matutino.

Otra de las ocupaciones a la cual las hadas dedican toda su atención, cuando se presenta la oportunidad, son los funerales de sus pares, a los que deparan honras fúnebres sumamente complejas y sentidas. Curiosamente, estas ceremonias son muy similares en todas las latitudes, y no varían demasiado, cualquiera sea el tipo de criatura feérica que la lleve a cabo. Un anciano italiano del Piamonte relataba de esta forma el entierro de una *Vila*, en su terruño natal, al noroeste de Italia:

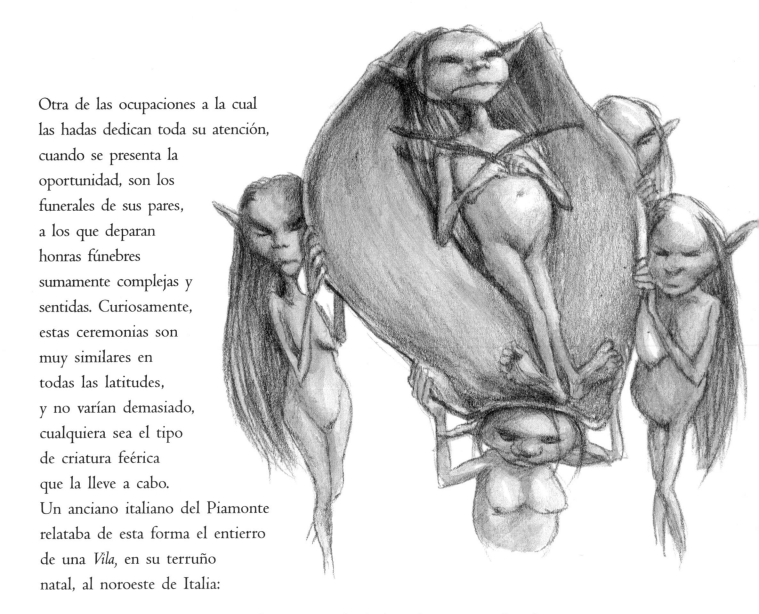

Fue una noche en que regresaba muy tarde de la taberna cuando, al pasar junto a la abadía de Carmagnolo, vi luz que salía de las ventanas del atrio y oí las campanas que tocaban a muerto, aunque con un sonido tan grave y angustiado como jamás las había escuchado antes. Intrigado, me acerqué y espié por una de las ventanas: la nave estaba brillantemente iluminada y una multitud de criaturas de no más de 50 cm de altura caminaban hacia el altar por la nave central, llevando en andas un diminuto féretro trenzado con varas de serbal.

Cuando la comitiva, adornada con coronas de mirto y violetas silvestres, llegó a una pequeña fosa cavada cerca del altar principal, depositaron en ella el cuerpo y exclamaron a coro: "¡Nuestra reina ha muerto! ¡Que el viaje hacia su destino sea tan placentero como fue su vida!". A continuación depositaron el cuerpo en la tumba y comenzaron a cubrirlo, pero no bien la primera palada de tierra cayó sobre el féretro, una de las Vile pareció darse cuenta de la presencia del intruso y todas ellas lo atacaron simultáneamente, con tanta saña por haber sido espiadas, que el hombre debió correr denodadamente para salvar su vida.

El cambio de forma es una cualidad mágica, común en mayor o menor grado a las hadas de todas las latitudes, aunque algunas de ellas (y especialmente los duendes, sus primos cercanos) son verdaderas especialistas en el tema.

Las hadas de Cornwall, por ejemplo, parecen poder adoptar tan sólo la forma de un pájaro, pero cada cambio representa para ellas una disminución de su tamaño real, por lo que corren el riesgo de desaparecer si abusan de su poder. No se debe confundir el cambio de forma real con los hechizos que las hadas pueden imponer a los humanos para que las vean como ellas desean.

Las transformaciones temporales son uno de los recursos utilizados frecuentemente por las hadas para huir de sus enemigos. Un ejemplo clásico de este poder es la metamorfosis de la Fata Morgana en la obra de Mallory *La mort d'Arthur*, cuando se convierte en roca del desierto para escapar de la ira de su hermano, que la persigue por haberle robado su espada mágica, Excalibur.

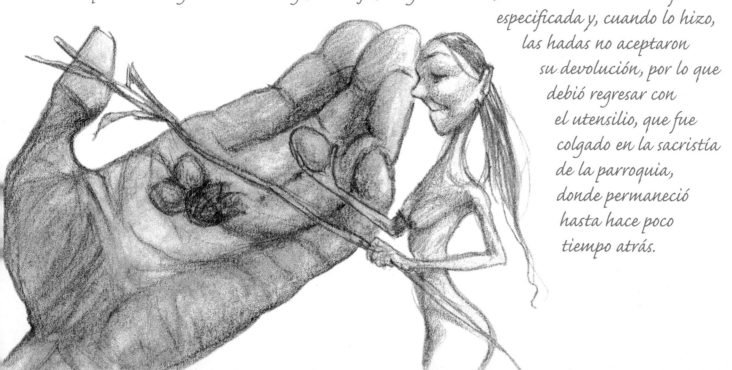

Los préstamos de las hadas a los humanos no son infrecuentes, siempre y cuando el prestatario cumpla escrupulosamente con su parte del pacto.

En una oportunidad, un ama de casa que necesitaba un caldero de tamaño excepcional recurrió a las hadas de Frensham para que le prestaran uno de los que utilizaban para sus pócimas mágicas. Sin embargo, la mujer, luego de usarlo, olvidó devolverlo en la fecha especificada y, cuando lo hizo, las hadas no aceptaron su devolución, por lo que debió regresar con el utensilio, que fue colgado en la sacristía de la parroquia, donde permaneció hasta hace poco tiempo atrás.

LA FLORA DE LAS HADAS

Entre LOS ÁRBOLES DE LAS HADAS, cuatro son los representantes mágicos más difundidos: el saúco, el roble, el espino blanco y el serbal, pero conviene recordar que todos los seres del reino vegetal están protegidos por los poderes de las hadas, y que cualquier persona que los dañe puede pagar caro su displicencia.

Cuentan las leyendas irlandesas que un labriego del condado de Limmerick, al sur de Erín, intentó un día cortar una rama de un vetusto saúco que crecía en un paraje al que los lugareños llamaban "El refugio de las hadas", por las veces que habían oído música y visto extrañas luces que provenían de allí. Tres veces intentó el hombre cercenar la rama; en las dos primeras, se detuvo porque le pareció que su casa estaba ardiendo, pero cuando en ambas ocasiones comprobó que se trataba de una falsa alarma, decidió ignorar la advertencia de su instinto y la tercera vez completó su obra, regresando luego a su casa con la rama recién cortada, para descubrir con amarga sorpresa que su hogar había sido totalmente devorado por las llamas.

Para las hadas irlandesas, los retoños de las raíces de los robles constituyen excelentes hogares, donde conviven gran cantidad de individuos en la más perfecta confraternidad.

En algunas ocasiones invitan a los humanos a compartir sus alimentos, pero es preciso ser muy cauto al respecto, pues algunas de las setas que los seres mágicos consumen son venenosas para los humanos.

Muchas y muy diversas tradiciones consideran al espino,
en sus distintas variedades, como la reencarnación
vegetal de las brujas viejas, muchas de ellas malévolas.
Sin embargo, antiguas leyendas sufíes sugieren que tres
espinos dispuestos en triángulo y unidos entre sí
mediante una cuerda o cinta roja, constituyen una eficaz
protección contra las *Djinns* (hadas dañinas del
Medio Oriente), pues sus legítimas moradoras no
aceptan que otras criaturas intenten arrebatarles
sus propias presas.

En Europa, en las regiones antiguamente
dominadas por los celtas, también se considera
al espino morada de las brujas, en este caso
las brujas del tiempo, conocidas como
Cailleach o *Black Annis* en las Islas Británicas.

Según una antigua tradición escocesa, el serbal es el árbol por excelencia para protegerse
de los ataques de las hadas, sobre todo por sus bayas de color rojo, ya que es sabido que ese
color es el más efectivo como defensa contra ellas. Un verso pareado de las Highlands
recomienda:

*"... ámbar, hilo rojo y bayas de serbal
ahuyentan a las brujas con gran celeridad".*

Otra costumbre escocesa aconseja
plantar un árbol de serbal frente a
cada casa, y se cree que un bastón
de su madera sirve para proteger
al ganado de las
"jineteadas" nocturnas
de las hadas.

L AS SETAS, con su repentina aparición y su no menos súbito deterioro, han hecho que el hombre las considere siempre relacionadas con el mundo de lo mágico y lo preternatural; por lo tanto, no es extraño que se las asocie con las hadas, especialmente aquéllas con principios alucinógenos, como la *Amanita muscaria* europea, el *Teonancatl* mejicano o los *Psicocilidae* sudamericanos.

La espuma sanguinolenta que brotaba de la boca de Slexphir, el corcel de seis patas de Woton, héroe máximo de la mitología escandinava, hizo brotar a su paso una infinidad de hongos color carmesí, lo que transformó las setas de este color en un don de los dioses, concedido a los hombres para protegerlos de los espíritus nefastos que pugnaban por destruirlos. Los nombres otorgados a los hongos por las tradiciones de todas partes del mundo no hacen otra cosa que confirmar esta creencia.

Los *Corros de las Hadas* (conocidos en Centroamérica como "Círculos de hadas" y en Sudamérica como "Círculos de las brujas") están delimitados por hongos cuyas cualidades alucinógenas serían, según algunos autores, las responsables de que los intrusos no puedan abandonarlos y deban seguir bailando hasta caer exhaustos por el esfuerzo.

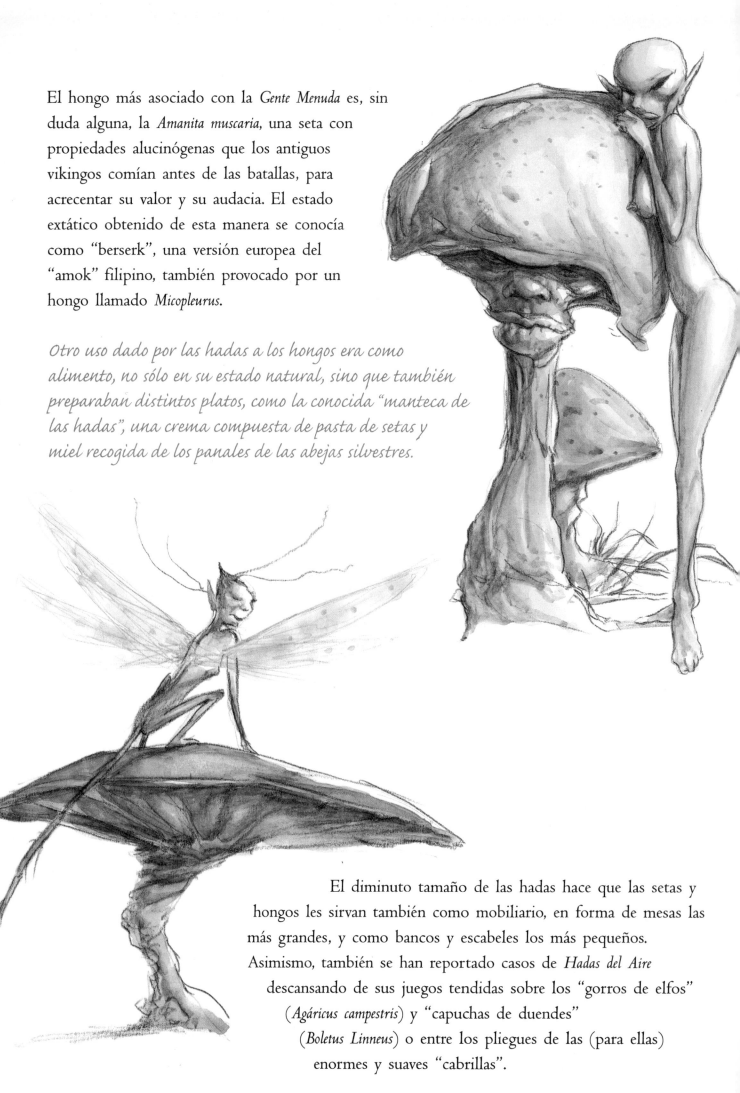

El hongo más asociado con la *Gente Menuda* es, sin duda alguna, la *Amanita muscaria*, una seta con propiedades alucinógenas que los antiguos vikingos comían antes de las batallas, para acrecentar su valor y su audacia. El estado extático obtenido de esta manera se conocía como "berserk", una versión europea del "amok" filipino, también provocado por un hongo llamado *Micopleurus*.

Otro uso dado por las hadas a los hongos era como alimento, no sólo en su estado natural, sino que también preparaban distintos platos, como la conocida "manteca de las hadas", una crema compuesta de pasta de setas y miel recogida de los panales de las abejas silvestres.

El diminuto tamaño de las hadas hace que las setas y hongos les sirvan también como mobiliario, en forma de mesas las más grandes, y como bancos y escabeles los más pequeños. Asimismo, también se han reportado casos de *Hadas del Aire* descansando de sus juegos tendidas sobre los "gorros de elfos" (*Agáricus campestris*) y "capuchas de duendes" (*Boletus Linneus*) o entre los pliegues de las (para ellas) enormes y suaves "cabrillas".

i bien todas las flores pueden ser consideradas FLORES DE LAS HADAS, algunas de ellas se asocian con mayor asiduidad, por poseer algunas características especiales, por las cuales las utilizan en su vida cotidiana y en sus encantamientos. Entre estas joyas de la Naturaleza mencionaremos sólo aquellas que se asocian directamente con alguna actividad feérica.

La hierba cana o ballico (pichanilla o cardo macho en Sudamérica) es empleada por las hadas como medio de transporte, hecho que dio lugar, sin duda, a las escobas de las brujas de los cuentos clásicos, hechas en forma casera con los tallos y hojas secas de esta planta.

Mejor conocida como "pensamiento", esta humilde violácea tricolor disfruta de la rara cualidad de ser amada tanto por las hadas como por los seres humanos.
Su formación, achaparrada y de hojas anchas y juntas, la hace ideal como refugio para la Gente Menuda que, por esa cualidad, la mencionan como "hogar florido", "florecilla del oeste" y "alivio del corazón".
Las abejas silvestres, que se desempeñan como mensajeras entre las hadas y sus dioses, muestran un singular apego por estas flores, que constituyen uno de los medios para ver a las hadas preparando un ungüento con sus pétalos, machacados y humedecidos con agua del rocío mañanero.

La campánula (o campanilla, como se la conoce en Sudamérica), es quizás la más poderosa de las flores feéricas, y la combinación más peligrosa que puede encontrar un humano es un bosquecillo de serbal festoneado con el espeso manto de una enredadera de campanillas, porque esos son generalmente los sitios que las hadas malévolas eligen para tramar sus hechizos y sus encantamientos.

Según las leyendas celtíberas, es peligroso entrar en la casa flores de campánulas, porque se dice que, aunque los oídos humanos no puedan oírlas, repican al ser agitadas por "el viento de la muerte", y el que las oye en una noche de tormenta está escuchando el rebato que anuncia su propia muerte.

Las prímulas ostentan un poder excepcional, pues tienen la virtud de hacer visible lo invisible, y una tisana preparada hirviendo sus pétalos en agua de azahar permite a los humanos ver a las hadas, aun en momentos en que éstas no desean ser vistas. Sin embargo, esta actitud suele acarrear dificultades al mirón, que pueden ir desde algunos golpes y pellizcos, hasta la ceguera total.

También se dice que, si se toca una roca de las hadas con un ramillete formado por siete capullos de prímulas implantadas sobre el mismo tallo, inmediatamente se abre un camino hacia el Mundo de las Hadas, pero una cantidad errada de pimpollos abre las puertas de la muerte para el invasor.

HADAS
TERRESTRES

LA VIUDA

Las narraciones la describen como a una mujer alta y delgada, vestida con una túnica blanca en señal de duelo por su hijo muerto, que suele frecuentar los caminos, puentes y recodos solitarios de toda la región central y noreste de la Argentina. Suele insinuarse a los hombres con una sonrisa atractiva, y a veces los acompaña un buen trecho, sin hablarles; sin embargo, la leyenda no la muestra del todo inofensiva, ya que su principal ocupación es desvalijarlos, sin dejarles ni la ropa encima y, en ocasiones, agrediéndolos físicamente hasta dejarlos magullados y sangrando.

En la zona de Catamarca se la caracteriza por su melena desgreñada y la sensual blancura de sus pies, y se dice que es el alma de una joven que vaga por la orilla del río, implorando el perdón de su hombre, a quien despeñó desde un risco, por haberle sido infiel. Como castigo a su aberrante crimen, el Padre Eterno la condenó a vagar eternamente por los montes, buscándolo y llamándolo con una voz desgarradora.

La tradición santiagueña agrega que, además, acosa a los mozos que han seducido y abandonado a alguna niña inocente, subiéndose en ancas de sus caballos y abrazándolos con fuerza irresistible, a veces hasta matarlos, como castigo por su falta. Los pocos que han logrado sobrevivir para contarlo, aseguran que, al conseguir arrojar a la Viuda de su caballo, han oído un ruido como el de una bolsa de huesos al caer. Esta leyenda tiene equivalencias con muchos personajes feéricos americanos, especialmente con la Llorona mejicana.

EL ALMA PERDIDA

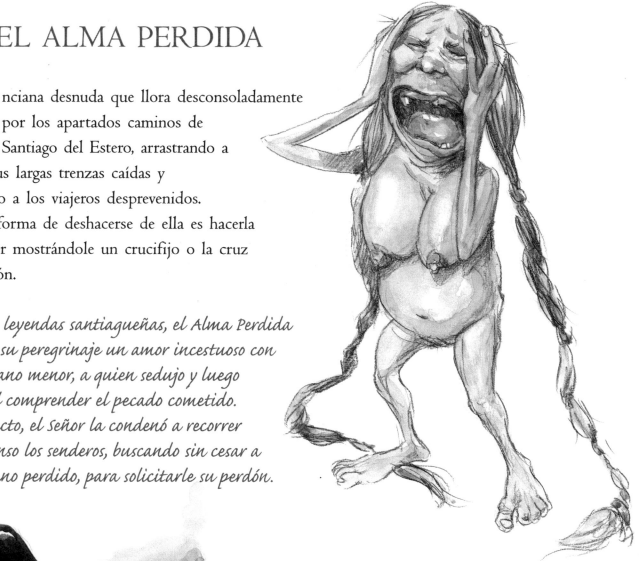

Anciana desnuda que llora desconsoladamente por los apartados caminos de Santiago del Estero, arrastrando a su paso sus largas trenzas caídas y espantando a los viajeros desprevenidos. La única forma de deshacerse de ella es hacerla desaparecer mostrándole un crucifijo o la cruz de un facón.

Según las leyendas santiagueñas, el Alma Perdida expía en su peregrinaje un amor incestuoso con un hermano menor, a quien sedujo y luego asesinó al comprender el pecado cometido. Por este acto, el Señor la condenó a recorrer sin descanso los senderos, buscando sin cesar a su hermano perdido, para solicitarle su perdón.

LA LLORONA

Hada-fantasma de la tradición mejicana, equivalente a la Viuda sudamericana que, según la leyenda, frecuenta por las noches los cementerios y caminos aledaños, aterrando a los lugareños con sus gemidos. Se la describe como a una mujer alta y delgada, de facciones angulosas, siempre vestida de negro, con largos cabellos al viento y que se desplaza sobre la tierra sin pisarla.

Se dice que se trata del alma de Palmira, una joven veracruzana que, al ser abandonada por el hombre que la sedujo, dejó a su hijo recién nacido en el portal de una iglesia, librándolo a su suerte. Su pecado la llevó a la muerte, y Dios la castigó condenándola a vagar eternamente por los campos, buscando a su hijo perdido.

CAOINEAGH

Nombre gaélico (significa "plañidera" o "llorona") dado en las Highlands y las Hébridas a un espíritu quejumbroso que deambula, por lo general de noche, a la vera de arroyos y cascadas. No puede vérsela ni acercarse a ella, pero sus gemidos nocturnos anuncian que un desastre o una muerte amenazan al clan que protege.

Según las leyendas escocesas, una semana antes de la Masacre de Glencoe, célebre batalla en la que fue virtualmente aniquilado el clan de los MacDonald, la Caoineagh de la familia dejó oír sus incesantes lamentos junto a la fuente cercana a la mansión, tratando de advertir a sus integrantes del desastre que se avecinaba.

CAOINTEACH

Nombre regional de la *Caoineagh* en la zona de las Islas Orkney y la costa del Mar del Norte, fundamentalmente ligada a los clanes MacMillan, Kelly, MacFairlane y Matheson, cuyos integrantes la describían como "una niña pequeña que lloraba en forma tan lastimera que en ocasiones se transformaba en un verdadero alarido".

Al igual que a la mayoría de las hadas, se la describe vestida de verde o blanco, con un pañuelo anudado atrás, al estilo pirata. Aunque, lo mismo que la *Caointeach*, es invisible a los humanos, se asegura que tiene su misma apariencia, con un rostro sin nariz y un solo diente gigantesco en el centro de una boca diminuta.

LA MADRE DEL CERRO

Hada-diosa primigenia de la cosmogonía diaguita, de cuyo vientre habrían nacido el viento y el Llajtay, el dios tutelar de las aves; se la representa como a una india vieja, custodia de los tesoros que encierran los cerros, en cuyas profundidades habita.

Según cuenta la leyenda, Ñahuil, un indiecito huarpe que se hallaba cazando algunos guanacos para alimentar a sus hermanos, dejó ir a una hembra cuya cría balaba lastimeramente a pocos metros de distancia. Por esta acción, la Madre del Cerro llevó al indiecito a su cueva, le dio de comer y lo premió con todas las riquezas que el niño pudo llevar.

ORKO MAMÁN

Es la equivalente a la *Madre del Cerro* en la región de la Sierra de Guasayán, en Santiago del Estero. Se la describe como a una mujer delgada y hermosa, que peina sus cabellos de oro sentada a la puerta de su cueva. Es el espíritu que controla los terremotos, las avalanchas y todos los seres y fenómenos que pueblan la selva y la montaña. Al igual que su símil calchaquí, suele premiar a los que respetan la vida y la Naturaleza. Según la tradición quechua, *Orko Mamán* será la encargada de destruir el mundo mediante un apocalíptico terremoto, el día del Juicio Final, cuando la Pachamama, madre suprema del Universo, decida acabar con la vida del hombre sobre la Tierra.

LAS DONCELLAS DEL MUSGO

C omo protectoras de la Naturaleza, suelen ayudar a quienes viven austeramente y respetan la vida en todas sus formas. Como ayudantes, no sólo son buenas amas de casa y trabajadoras abnegadas, sino que también conocen las propiedades curativas de las plantas del bosque y nos enseñan a utilizarlas. Habitan los bosques de Europa Central, desde los Alpes hasta Francia, Polonia y Checoslovaquia, miden de 60 a 90 cm de alto y se visten con panes de musgo, lo que las camufla perfectamente en su hábitat natural.

En una oportunidad, un viajero reparó una carretilla de una de las Doncellas y ésta, en señal de gratitud, le obsequió varios de los recortes de madera sobrantes. Al regresar a su casa, el servicial joven descubrió que los trozos de madera se habían convertido en varias piezas de oro puro.

GIANNE DE LOS BOSQUES

S on las hadas más populares de la Isla de Cerdeña, similares a las *Aguane* del norte de Italia. A pesar de su gran belleza, tenían dificultad para encontrar compañero, pues los *Hombres del Bosque* eran escasos, los *Duendes* muy pequeños y los *Elfos* demasiado brutos y salvajes. Pero su ansia por ser madres las dominaba, así que se lanzaron sobre los hombres, matándolos y bebiendo su sangre; de esta forma, al cabo de tres días cada *Gianna* paría un pequeño híbrido. Las actuales *Gianne* tienen poco que ver con sus antepasadas: son diminutas y se visten con pieles o trajes de colores brillantes hechos por ellas mismas.

AJATAJ

Deidad mataca femenina creada por Nilatej El Supremo; reina sobre la región subterránea, rigiendo con mano despótica su malévola hueste de potencias nefastas para el hombre, los *Ajat*. Estos últimos son espíritus malignos, creados especialmente por la diosa para que le sirvan de esclavos. *Ajataj*, por medio de sus *Ajat*, domina a los shamanes, a quienes puede otorgar o quitar sus poderes a voluntad; también es la que desencadena y detiene las plagas y enfermedades, y su poder se extiende al mundo subacuático de ríos y arroyos. Su forma humana, cuando la adopta, es la de una mujer desnuda, de grandes pechos caídos y largos cabellos negros, descuidadamente trenzados.

ALHUÉ

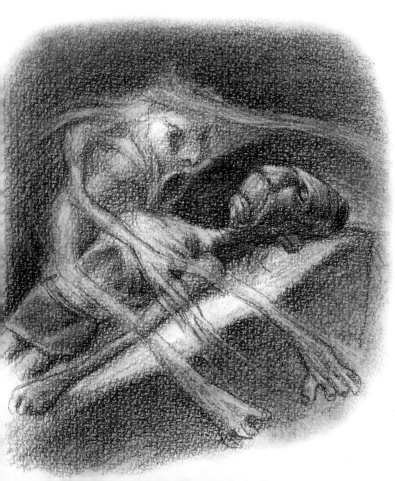

Entre los araucanos chilenos, *Alhué* es el alma de los muertos, entidad que se gesta al morir el cuerpo, ya que los seres vivos carecen de *Alhué*. Cuando el cuerpo perece, la *Alhué* permanece ligada a él, sin poder alejarse mucho, hasta que el poder psicopompo del shamán la guía hasta la morada final. La otra forma en que la *Alhué* puede alejarse del cadáver es cuando éste se corrompe totalmente, en cuyo caso queda vagando sin rumbo lamentándose durante las noches y su energía es apresada por los shamanes malévolos, para usarla en sus hechicerías.

LAS FATE

El hábitat de las *Fate* (plural de *Fata*, hada) se extendía alrededor de toda la costa norte del mar Adriático, a lo largo de los actuales territorios de Italia meridional, Eslovenia y Croacia, hasta la frontera con Bosnia-Herzegovina.

Por lo general, provienen de familias de alta alcurnia, pertenecientes a una aristocracia poderosa y antigua, y se comportan generosamente con los seres humanos, pues suelen hacer espléndidos regalos a quienes las tratan con amabilidad, pero también pueden ser muy crueles con quienes las decepcionan.

Cuando adoptan una figura humana (usualmente son invisibles al ojo humano), se convierten en criaturas femeninas, muy hermosas, de una altura de 1,20 a 1,50 m, que visten de blanco o colores muy tenues, generalmente verde o salmón.

Unas muchachas que vivían en una aldea cercana a la ciudad de Siblink, Dalmacia, se encontraban una noche hilando junto a una ventana, y la luz de la luna llena las incitó a hablar de duendes y aparecidos, y pronto surgió el tema de las Fate, acerca de las cuales una de ellas declaró tajantemente que no creía en su existencia.

—Definitivamente, pienso que todas esas zarandajas sobre las hadas no son más que cuentos de vieja, y para demostrárselos, voy a dar un paseo sola hasta el arroyo, y verán que no me harán nada, simplemente porque no existen.

Antes que el resto de las muchachas, extrañadas por tanto apasionamiento, pudieran hacer algo por evitarlo, había guardado su huso y se encaminaba a paso vivo hacia el puente que marcaba la salida del pueblo; y así se perdió de vista en un recodo del camino, sin hacer caso de las llamadas de sus compañeras de tareas.

Cada vez más inquietas, sus amigas esperaron ansiosamente su vuelta, pero finalmente llegó la mañana sin que la incrédula hubiera aparecido. Alertados por las jóvenes que habían permanecido en sus casas, los vecinos organizaron grupos de búsqueda que, lamentablemente, hallaron lo que buscaban: el cadáver de la infausta joven, que yacía al pie de un añoso saúco, con su propio huso atravesándole la garganta.

ZAPAM-ZUCUM

Personaje legendario (aunque poco difundido, quizás por su origen aymara), mencionado principalmente en las provincias argentinas de Jujuy, Salta y Catamarca y las zonas limítrofes de Bolivia y el norte de Chile, aunque algunos paisanos comentan haberla visto en las serranías de La Rioja y los algarrobales del norte de Santiago del Estero. La descripción más frecuente de la *Zapam-Zucum* corresponde a la de una mujer hermosa, de rasgos aindiados, en la plenitud de su juventud y su femineidad, ojos renegridos, y largos y lacios cabellos del mismo color, que le caen por debajo de la cintura. Aparece invariablemente desnuda, y sus características físicas más destacables son sus manos y sus pies, blancos como la nieve, y sus pechos descomunales, que agita al andar, produciendo el ruido onomatopéyico del que proviene su nombre indio.

En la mayoría de las versiones se comporta como una aparición benévola, ya que suele acariciar y jugar con las guaguas (niños) que las mujeres dejan a la sombra de los algarrobos cuando salen a recoger higos de tuna, e incluso suele darles de mamar cuando tienen hambre. Sin embargo, si el hombre de la familia ha matado alguna vicuña sin necesidad, o hachado algún árbol, le robará al hijo y ya no tendrá manera de recuperarlo. También se ocupa de mantener encendidos los fuegos que los pastores dejan prendidos en sus campamentos, para encontrarlos cuando regresan con sus majadas. Sin embargo, no en todos lados se la considera inofensiva, ya que, según la versión de un arriero catamarqueño:

"... la Zapam-Zucum es una mujer de piel oscura, gigantesca y horriblemente fea, de pechos enormes y colgantes, que sorprende a los pastores y a las recolectoras de patay durante los descansos que hacen bajo los árboles. Anuncia su presencia con gritos que imitan el ruido que hacen sus pechos al chocar entre sí cuando camina, y su mayor diversión es atrapar entre sus senos —donde aparentemente caben varios— a todos los que no son suficientemente rápidos para escapar, y llevárselos con rumbo desconocido, sin que nadie más los vuelva a ver...".

LAS HADAS DE KNOCKGRAFTON

Una leyenda de la región de Glengarrigh, al sur de Erín, menciona las peripecias de un joven jorobado, de nombre Lushmore, a quien las hadas ayudaron en su defecto físico, como premio a su buena disposición para con ellas.

El pobre Lushmore, a quien llamaban así porque siempre llevaba una ramita de digital ("lusmore" en irish gaël) en su sombrero de paja, regresaba una tarde del pueblo de MacCurragh, cuando el cansancio y el dolor de su joroba lo obligaron a recostarse a la sombra de un roble, junto a la entrada del Brugh de Knockgrafton, el cual tenía fama en la región de ser la morada de las Hadas de los Túmulos de aquella zona.

Ya casi se había adormecido cuando una extraña canción, que no parecía entonada por gargantas humanas, pareció emanar del interior de la tumba. Alelado y asustado, Lushmore prestó atención a la canción, percatándose de que, a pesar de la impecable interpretación, la letra estaba compuesta por sólo dos frases: "Da Luan, Da Mart" (el lunes, el martes), que se repetían tres veces seguidas, separadas por un breve interludio de silencio.

Luego de escucharla varias veces, en el silencio subsiguiente Lushmore introdujo la frase: "Angus da Cadine" (y también el miércoles), en un tono y cadencia perfectamente ajustados a la melodía.

Esa vez la tonada no se reanudó de inmediato, por lo que Lushmore comprendió que las hadas estaban deliberando, y aguardó nerviosamente su reacción.

–¡Cantor! –dijo una voz proveniente del túmulo–. Te agradecemos por tu aporte artístico, que nos ha parecido maravilloso; en premio a tu amabilidad, te invito a que veas a tus pies aquello que durante tanto tiempo te ha torturado. –Y cuando Lushmore, que sentía una desusada liviandad entre sus hombros, bajó la vista al suelo, su alegría no tuvo límites al ver entre sus pies, arrugados como una flor marchita, los restos de su joroba.

Alzó los ojos al cielo, agradeciendo al Santísimo y, aún conturbado por su cambio, emprendió el camino de regreso a su pueblo, vestido con un traje recién confeccionado por las hadas, que le ajustaba como un guante.

Pero una aldea pequeña como Glengarrigh no es el lugar ideal para guardar un secreto, y al día siguiente de presentarse en público sin su joroba, Jack Malden, un vecino suyo que adolecía del mismo defecto, pero que además era artero, egoísta y envidioso, emprendía el camino hacia el Brugh, en busca de alivio.

Pero al escuchar la música de las hadas, ahora con la inclusión de Lushmore, Jack no pudo controlar su impaciencia e interrumpió su canto fabuloso con una frase de su propia cosecha, aunque desafinada y fuera de ritmo, con lo que su versión sonó algo así como: "Da Luan, da Mart; da Luan da Mart; da Luan, da Mart; augus da Cadine da Hena" (y el jueves); pero apenas había terminado de salir la última palabra de su boca, cuando una fuerza irresistible lo levantó de su sitio y lo arrastró dentro del túmulo, donde las hadas se congregaron amenazadoras a su alrededor, chillando y gruñendo como poseídas, hasta que una que parecía llevar la voz cantante se acercó al muchacho y le dijo:

~¡Jack Malden! Has estropeado nuestra canción,
y nuestro Brugh has osado profanar;
por ello serás castigado.
¡Desde hoy dos jorobas llevarás!

Con lo cual el insolente joven fue condenado a cargar con la joroba de Lushmore, a causa de lo cual murió poco después de regresar a su casa, sumiendo a sus padres en la más negra desesperación, provocada por su envidia desmedida.

EL HADA DE LOS BAMBÚES

Hace muchos, muchísimos años, tantos que ya nadie puede recordar cuántos, vivía en la provincia de Honshu un anciano cortador de bambúes que arrastraba una vida muy pobre y miserable, dado que los dioses le habían negado la bendición de un hijo que alegrara su vejez y lo ayudase en su duro trabajo.

Hasta que un día, al disponerse a cortar algunos brotes que les servirían de cena a él y a su mujer, divisó una suave luz opalina, que parecía surgir del interior de una de las cañas. Intrigado, el anciano dejó el machete a un lado y, acercándose al resplandor, descubrió dentro de uno de los brotes a una niña de indescriptible belleza, aunque tan pequeña que cabía holgadamente en la palma de su mano.

-Los dioses han debido enviarte para que seas mi hija- dijo el anciano quien, depositando a la criatura en la cesta de su almuerzo, la llevó a su esposa, que la recibió con gran alborozo. Sin embargo, una duda turbaba su alegría: tan pobres como eran, ¿podrían criar adecuadamente a la niña? Pero pronto la suerte se encargó de disipar sus temores pues, desde la llegada de Luz de Luna, como fue bautizada la pequeña, el cañero nunca dejó de encontrar, en los tallos de cada bambú que cortaba, algunas piezas de oro o piedras preciosas que pronto lo transformaron en un hombre rico.

Y así, entre mimos y cuidados, la extraña criatura creció sana y robusta, aunque a un ritmo tan acelerado que, al cabo de los tres primeros meses, se había transformado en una joven de tan extraordinaria belleza que, a pesar de que jamás abandonaba su hogar, su fama pronto se extendió de un extremo a otro de la comarca. Y con la fama de su hermosura llegaron los pretendientes; innumerables jóvenes, hombres maduros y no pocos ancianos aspiraron a su mano, o al menos a poder verla, pero Luz de Luna los fue decepcionando uno a uno, pidiéndoles intencionalmente obsequios que sabía que no podrían traerle, o encargándoles misiones que jamás se atreverían a cumplir.

Y así fueron pasando los años, hasta que el cortador de bambúes, que sentía que el peso de la edad iba haciéndose sentir cada vez más sobre su cuerpo, descubrió una noche a Luz de Luna llorando desconsoladamente y se dirigió a ella diciéndole:

—Hija mía, respeto tus decisiones y sé que no soy tu padre verdadero, como para pedirte que cumplas mis deseos, pero mi vida se está acabando ya y desearía verte felizmente casada, para que tu madre y yo pudiéramos terminar la tarea que iniciamos al recogerte.

—Padre, quiero que sepas que no hay nada que me gustaría más que cumplir con tus deseos, pero debes saber que estabas en lo cierto al suponer que no pertenezco a este mundo. En realidad, soy hija de los reyes del País de las Hadas y princesa por derecho de nacimiento, pero cometí una falta que mi gente considera grave, y he sido condenada a vivir aquí por todo este tiempo. Pero ahora mi castigo ha terminado, y el día antes del próximo cambio de luna mis padres vendrán por mí, para devolverme a mi mundo.

Y así, ante la desesperación de los ancianos, fueron pasando los días hasta que, al llegar la fecha señalada, una carroza sin caballos, envuelta en un halo de fuego, descendió de los cielos frente mismo a la morada de Luz de Luna y de ella descendió un hombre de regio porte, que se dirigió al cortador de bambúes en estos términos:

—Sabemos con cuánta diligencia has cuidado de nuestra hija en estos años, y hemos tratado de ayudarte enviándote las monedas de oro y piedras preciosas que hallabas en los brotes de bambú. Pero ahora Luz de Luna, como vosotros la llamáis, debe marcharse, pues su lugar está entre su gente, en nuestro mundo.

A continuación, la princesa se despidió de los ancianos con lágrimas en los ojos y subió a la carroza, que empezó a elevarse envuelta en llamas que, extrañamente, no despedían calor alguno. Y ante la mirada desolada de sus padres adoptivos, Luz de Luna se perdió en el infinito, conducida hacia los cielos en alas de la suave brisa matinal.

EL GUMP DE LAS HADAS

En las cercanías de una colina de la región de Cornwall, llamado "El Gump" (El cerro), vivía un viejo avaro, de nombre Lardock, que concibió la peligrosa idea de aprovecharse de una reunión de hadas que todos los años se celebraba en la cumbre, robándoles todo lo que pudiera.

Con ese fin, la noche elegida inició la subida ladera arriba, pero no había llegado a la mitad del camino, cuando comenzó a oír bajo sus pies una música extraña, aunque no pudiera precisar la fuente de donde provenía. Finalmente, cuando llegó a la cumbre, pareció como si toda la parte superior de la colina se hubiera elevado, formando una cúpula, en cuyo interior pudo ver una verdadera corte de tánganos, los deformes duendes que custodian las colinas de Cornwall.

Oculto, el avaro contempló con ojos codiciosos las viandas, colocadas en vajilla de oro y plata, servidas las cuales apareció una corte de hermosas hadas, rodeando a su rey y su reina, que ocuparon su lugar en la cabecera de la mesa más lujosa. El codicioso Lardock decidió que aquella mesa sería su meta pero, absorto en su propósito, no notó que su presencia era detectada por las hadas que, sigilosamente, enviaron a los tánganos a capturarlo, provistos de unas finas cuerdas brillantes, que parecían relucir bajo la refulgente luz de la luna.

A partir de ese momento, sumido en una repentina oscuridad, lo único que Lardock pudo recordar luego fueron unos bruscos tirones a sus brazos, golpes en su espalda y pellizcos y pinchazos en todo el cuerpo, y la tranquilizadora luz del alba lo encontró al pie de la ladera de la colina, tendido de espaldas y fuertemente amarrado con telas de araña, perladas por el fresco rocío del amanecer.

HADAS DE
LAS AGUAS

SIRENAS

Las *Sirenas* eran criaturas mágicas de sexo femenino (su contrapartida masculina eran los *Tritones*) que habitaban las profundidades marinas. Hijas de Aqueloo, un dios del mar, y de Gea, la diosa de la Tierra, cuando deseaban desposarse con un varón humano solían sentarse en las rocas cercanas a la costa, sobre las cuales peinaban sus largos cabellos de oro, y cantar con voz tan dulce que los marinos que oían sus canciones eran atraídos hacia esas rocas, hasta estrellar sus naves en los arrecifes y ser arrastrados por ellas hacia los abismos marinos.

En la obra de Homero, LA ODISEA, el héroe griego Ulises fue capaz de seguir adelante al pasar frente a su isla porque, siguiendo el consejo de la hechicera Circe, tapó los oídos de sus compañeros con cera y él mismo se hizo atar al mástil de la nave para oír las canciones sin peligro.

En LA ILÍADA, otro de los relatos épicos homéricos, los Argonautas escaparon de las sirenas porque Orfeo, que estaba a bordo de la nave Argo, cantó tan dulcemente que consiguió anular el efecto de la canción de las ninfas; por último, fueron derrotadas por las Musas en un concurso de canto en el Monte Olimpo, tras de lo cual se sumergieron en el océano, para nunca volver a ser vistas por hombre alguno. No obstante, numerosas leyendas populares narran historias de romances e incluso matrimonios entre sirenas y hombres mortales.

Contrariamente a las creencias más difundidas, los escritores y artesanos griegos no han descrito ni representado físicamente a las *Sirenas* sino hasta una época muy tardía, y no con la apariencia conque las conocemos hoy, sino con una forma similar a la de las *Arpías*, es decir, con cuerpo de ave y cabeza de mujer, apariencia que fue plasmada en numerosos grabados y trabajos de cerámica, como una cariátide ático-corintia encontrada en Caeré, en la que se pueden apreciar tres pájaros con cabeza de mujer tentando a Ulises y su tripulación.

LUTEY Y LA SIRENA

Durante las duras épocas invernales, cuando las furiosas galernas hacían imposible que sus frágiles barcas se hicieran a la mar, los pescadores del Mar de Irlanda solían peinar las playas azotadas por las tormentas, revisando sus arenas en busca de objetos valiosos provenientes de los muchos naufragios que se producían en aquellas costas escarpadas y agresivas.

Siguiendo esta costumbre, Lutey, un joven de la pequeña aldea de Cury, cercana a la localidad de Lizard Point, se encontraba un día recorriendo la costa, cuando descubrió, en una de las pequeñas restingas que aún conservaban restos de agua, a una hermosa sirena varada que le pidió, con lágrimas en los ojos, que la devolviera al mar. Sin pérdida de tiempo, Lutey la tomó entre sus brazos y se dirigió con ella hacia la orilla, ante lo cual la criatura, valorando su naturaleza bondadosa, ofreció concederle tres deseos.

–En primer lugar –pidió el joven–, quisiera poseer el don de deshacer los encantamientos malévolos; en segundo término, la facultad de obligar a los espíritus servidores de las brujas a realizar obras de bien, en lugar de las maldades que ellas les ordenan, y tercero, que mis descendientes heredaran estos dones y el deseo de aplicarlos.

–Concedido –respondió la sirena–. Y por haber elegido con altruismo y bondad, te concederé dos presentes más: uno, que desde este mismo momento, ni tú ni tu familia volverán a pasar necesidades, y el segundo, un peine mágico, mediante el cual podrás llamarme cada vez que necesites de mi magia.

Agradecido, Lutey se dirigió con su carga hacia la orilla, pero a medida que se acercaban al mar, en la sirena comenzó a prevalecer su personalidad femenina, que pronto se evidenció como un irrefrenable deseo de volver a ver al muchacho. Y cuando finalmente llegaron al mar, ella comenzó a rogarle que se adentrara un poco más en el agua, aferrándose desesperadamente a su cuello cada vez que él intentaba soltarla.

Ahora bien, Lutey era un joven serio y mesurado, pero la voz insinuante y sutilmente ronca de la sirena, sumada al roce de su cuerpo elástico, comenzaron a hacer su efecto en el joven, que se hubiera perdido para siempre entre las olas, de no ser porque su perro se puso a aullar lastimosamente al verlo internarse en el agua, y le hizo evocar la imagen de sus padres y de su hogar.

Recuperando la lucidez, Lutey intentó dejar a la sirena en el agua, pero ella se aferró a su cuello con fuerza irresistible, intentando arrastrarlo hacia las profundidades, hasta que él echó mano a su navaja de pescador, amenazándola para que lo soltara. Ya fuera porque la hoja de la navaja era de hierro -metal que, como se sabe, ahuyenta a las hadas-, o por alguna otra razón, la criatura lo soltó y se precipitó al mar, no sin antes exclamar:

-¡Adiós! Adiós, mi amor,
nunca te olvides de mí;
¡nueve años esperaré con dolor,
pero luego regresaré por ti!

Durante ese largo período, los generosos deseos de Lutey hicieron feliz a mucha gente, y tanto él como sus descendientes se convirtieron en reputados benefactores del prójimo, pero al cabo de ese tiempo también se cumplió la tácita promesa que él le había hecho a la sirena: una tarde en que Lutey se encontraba pescando con uno de sus hijos, el hermoso rostro femenino surgió de las profundidades, y aquello fue suficiente; Lutey se puso en pie junto a la borda y volviéndose a su hijo le explicó:

-Ya es la hora. Ha llegado el momento de que salde mi deuda.

Al comprender su intención, el hijo hizo un tibio intento de retenerlo, pero se detuvo al observar la expresión de su padre, que no parecía albergar tristeza alguna al lanzarse a las verdes profundidades, buscando un amor largo tiempo postergado.

Y cuenta la leyenda que en Cury, cada nueve años un Lutey se pierde en el mar; sin embargo, nada se dice sobre si se marcha tan apaciblemente como lo hizo su antecesor.

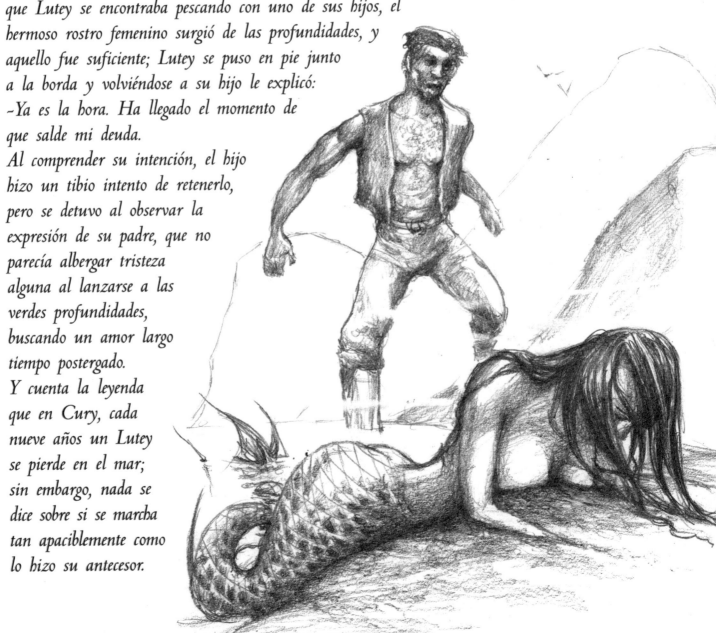

NEREIDAS

Su nombre proviene del latín *nereides*, y a su vez del griego *nereis* o "hijas de Nereo", y eran, en la mitología griega, las criaturas mágicas que controlaban el aspecto y los fenómenos del mar Mediterráneo, por lo cual su presencia se extendió a todas las costas de este océano. La siguiente leyenda pertenece a la región de Kòlpos Khânyon, en el litoral oriental del Mar de Creta.

Un músico cretense fue invitado por las Nereidas a tocar la lira en su cueva, y el rostro de la más joven de ellas le impactó de tal forma, que decidió hacerla su esposa, costara lo que costase. Obsesionado con la idea, consultó a una hechicera, quien le indicó que volviera a la cueva, permaneciera allí toda la noche y, justo al rayar el alba, sujetara a su amada por el pelo y no la soltara por nada del mundo hasta que cantara el gallo, sin importar las formas que adoptara. El joven, enamorado como estaba de su Nereida, siguió los consejos de la anciana y la sujetó férreamente por los cabellos, y a pesar de que ésta se transformó sucesivamente en perro, serpiente, lagarto, camello y hasta en una llama ardiente, pudo sujetarla hasta el canto del gallo, convirtiéndola así en su esposa.

Varios años convivieron en buena relación, y hasta tuvieron un niño, pero el joven no podía olvidar que su esposa jamás hablaba, por lo que volvió a consultar a la hechicera.

~Para hacerla hablar debes fingir que arrojas el niño al hogar. Puedes estar seguro de que así hablará.

El músico hizo lo que la anciana le dijo, y cuando la madre vio que las llamas amenazaban al pequeño, exclamó:

~¡Aléjate de mi hijo, maldito! ~y tomando al niño en sus brazos, saltó por el acantilado, desapareciendo en las aguas al pie del risco. El hombre la había hecho hablar por primera vez en su vida, pero también fue la última, porque jamás la volvió a ver.

ONDINAS

Según la mitología escandinava, las *Ondinas* son las hadas responsables de los lagos y mares interiores, equivalentes a las *Náyades* griegas y del Medio Oriente, y se las suele representar como mujeres de extraordinaria belleza, con la cabellera húmeda y flotante. Al igual que las *Sirenas,* las *Ondinas* tienen fama de atraer a los hombres que surcan las aguas que ellas protegen, seduciéndolos con sus miradas y sus canciones, hasta hacer zozobrar sus naves. Sin embargo, como lo atestigua la siguiente narración, en ocasiones se enamoran de varones humanos y, con frecuencia, pueden mantener con ellos hogares felices, prolíficos y duraderos.

Una Ondina se enamoró de un príncipe y se desposó con él, abandonando para ello su ancestral morada acuática, pero en el momento de casarse recibió una consigna de la Reina de las Hadas: su matrimonio sería feliz mientras su esposo le fuese fiel.

Desafortunadamente, el esposo humano, tal como la reina lo había imaginado, no tardó en serle infiel con una dama de la corte, y la pobre hada no tuvo más remedio que regresar al lago. Sin embargo, el príncipe, que realmente amaba a su mujer, acudió desesperado a buscarla a la orilla del lago, ante lo cual la Ondina, con el permiso de su reina, regresó a la tierra, pero le advirtió que, a partir de ese momento, representaría un peligro mortal para él.

El príncipe, desesperado por tenerla nuevamente junto a él, la tomó entre sus brazos, pero entonces la Ondina lo aferró con fuerza irresistible y lo arrastró a las profundidades, donde fueron definitivamente el uno para el otro.

NÁYADES

Derivado del árabe *naias* (genérico para "hadas" y "genios", más el sufijo latino *-adis*, femenino y plural). Según la leyenda, eran hijas de Zeus y madres, a su vez de los *Sátiros* y los *Silenos*, y fueron las que educaron a Hermes y otros dioses. Eran sacerdotisas de Dionisos, y se las representaba como hermosas doncellas coronadas de flores, encargadas de la organización y conducción de las fiestas dedicadas al dios.

Según la mitología griega, algunas de ellas fueron transformadas en islas por Aqueloo, en castigo por no haberlo invitado a una de las orgías en honor a Dionisos.

OCEÁNIDES

Hijas del dios Océano y de la diosa Thetis, eran las hadas del mar abierto, aunque sin una localización específica. Según la leyenda eran 3.000, y tenían a su cargo el control de las corrientes y las mareas alrededor del mundo conocido.

Según Ovidio, "ellas eran quienes decidían los derroteros de los barcos de los nautas, pero éstos debían ofrecerles libaciones de leche e hidromiel antes de cada singladura, para asegurarse un viaje sin interrupciones. Eran, por lo general, benévolas con los marinos, pero podían ser muy crueles y vengativas si ellos no les ofrecían suficientes oraciones y sacrificios antes de partir".

MURDHWACHA

Las *Murdhwacha* (sing.: *Murdhwach*) constituyen el equivalente irlandés de las *Sirenas* mediterráneas, y de las *Bean Varrei* de la Isla de Man. Al igual que ellas son hermosas (aunque su mitad humana no es de una belleza precisamente clásica) y son bastante comunes los relatos en los cuales una de ellas ayuda a un ser humano, e incluso salva su vida, como sucede en la leyenda que presentamos a continuación, recopilada en las costas del condado de Mayo, en Irlanda.

Paddy Sayle era un anciano labrador de la región de Corraun, en el condado de Mayo, cuya familia, compuesta por su esposa Eileen y sus seis hijos, vivía cómodamente de la venta de los productos de su bien cuidada granja, que Paddy complementaba con variados tipos de peces y crustáceos que obtenía en sus frecuentes salidas en su pequeña barca.

El hecho es que, en una oportunidad en que el tiempo presagiaba una fuerte tormenta, de la cual el viejo Sayle no se había percatado, una murdhwach muy joven, casi una niña, salió a la superficie al costado de su barca y le gritó: "¡Schaull er thailloo!" (¡Regresa a tierra!), ante lo que Paddy izó rápidamente la vela y partió en busca de refugio, no sin antes arrojar al agua algunas manzanas que siempre llevaba consigo como tentempié.

El anciano llegó a tierra sin novedad, y desde entonces adoptó la costumbre de llevar manzanas en su barca y, aunque no todas las veces podía encontrarse o conversar con Aireon Ny Veihir —así le había dicho la sirena que se llamaba—, siempre arrojaba algunas al agua para ella.

Este fragmento corresponde a un antiguo cuento irlandés recopilado por William Butler Yeats en el condado de Mayo, Erín, allá por el año 1921.

SEALKII

El nombre de estas criaturas feéricas proviene del antiguo término celta "sealkie" (pl.: sealkii) que, a su vez dio lugar a la palabra "seal" (foca). Su hábitat, que comparten parcialmente con las *Murdhwacha*, son las costas del norte de Escocia y las islas Hébridas, extendiéndose hasta la Isla de Man.

Hace ya muchos, muchos años, tantos que he olvidado su nombre, un joven pescador golpeó una foca con su garrote y luego, creyendo que estaba muerta, la despellejó, arrojó sus restos al mar, y se llevó la piel consigo.

Sin embargo, la Bean Sealkie (doncella-foca) no estaba muerta, sino aturdida, y con sus últimas fuerzas logró nadar hasta la cueva de Aimeè, una Murdhwach muy amiga suya, a la que rogó que la ayudara a calmar su frío y su dolor.

La Mermaid (Sirena), compadecida, curó con su magia sus heridas, pero le dijo que el único modo en que lograría abrigarse era recuperando su piel, para lo cual, valientemente, se dejó atrapar en las redes de la barca a la que el pescador había llevado su trágico trofeo.

Los hombres de la barca aullaron de alegría al ver lo que habían atrapado, ya que pensaban que una sirena viva podía rendir pingües ganancias. Pero el joven, a quien los remordimientos por haber matado a la Sealkie no le daban reposo, se desesperó cuando vio lo que había en la red y trató por todos los medios de que volvieran a arrojarla al mar, pero sus compañeros sólo se rieron de él y sujetaron firmemente a su presa, a la que arrojaron sin cuidado sobre la piel de la Sealkie.

Afortunadamente, el remordimiento que corroía las entrañas del marinero fue más fuerte que el temor a lo que dirían sus compañeros y, en un momento en que los demás se encontraban desprevenidos, aferró la red y la arrojó por la borda, salvando de esa forma dos vidas mágicas: la de la Sealkie, que recuperó su piel y su calor, y la de la Sirena, que regresó a su cueva con la satisfacción de haber salvado la vida de su amiga.

–Y pueden estar seguros –concluyó el narrador– que esta historia es verdadera pues, según dijo mi padre, que no acostumbraba mentir, fue una sirena quien se la contó a mi bisabuelo.

ROANI

Roani, (sing.: *Roane*), un antiguo término protocelta que significa "focas", es el nombre dado en las islas Orkney y Shetland a las *Sealkii* escocesas, debido a que, como ellas, tienen figura humana, pero se visten con una piel de foca para vivir y viajar por las profundidades marinas. Sin embargo, la diferencia mayor consiste en que las *Sealkii* son vengativas con quienes las dañan, mientras que las *Roani* suelen perdonar a sus agresores.

John O'Groats, un marino orkano que una tarde había perdido su navaja tratando de matar a un viejo macho Roane, fue visitado al día siguiente por un forastero que alegó haber sido enviado para encargarle un gran número de pieles de foca.

El cazador lo siguió sin sospechar nada, pero al llegar al acantilado donde el día anterior había estado a punto de matar a la foca, el desconocido lo aferró por la cintura y saltó con él a las aguas; aterrado, John pensó que había llegado su última hora, pero se tranquilizó un poco al llegar a una gran cueva, donde su guía le preguntó:

–¿Conoces esta navaja? –a lo cual el marino no pudo negar que era suya, y el desconocido continuó:

–Con ella fue que heriste ayer a mi padre, y sólo tú puedes curarlo. –Arrepentido de su acción, John se acercó al viejo macho, que yacía de lado en un lecho de piedra, dando muestras de gran dolor. Entonces las focas le dijeron lo que debía hacer, y el pescador trazó, con la misma navaja, un círculo alrededor de la herida y tocó ésta con sus dedos, tras lo cual el paciente se levantó tan sano como en sus mejores tiempos y sin señas de la lesión.

A continuación, y viendo que el pescador aún temía que lo castigaran, la foca que lo había conducido hasta allí lo tranquilizó diciéndole que no le guardaban rencor y que, si juraba solemnemente no volver a matar o herir una foca, lo dejarían salir de allí y lo devolverían a su casa sano y salvo.

Entre el susto y el arrepentimiento, a John le faltó tiempo para pronunciar el solemne juramento que le dictaron, tras lo cual el guía lo condujo de vuelta al risco y lo acompañó a su casa, donde le regaló un pequeño cofre repleto de monedas de oro y piedras preciosas, que equivalían al precio de todas las pieles de foca que John podría haber llegado a capturar en su vida.

FEIDEALL

La *Feideall* es otra de las hadas acuáticas malévolas creadas por la frondosa imaginación de los habitantes de las Highlands. Se trata, según la leyenda, de la corporización de las plantas y los miasmas de los pantanos, que envolvía a los viajeros desprevenidos y los arrastraba a las profundidades de las marismas, donde los devoraba.

Esta espantosa criatura, del color verde pastoso de las aguas corrompidas, merodeaba por las orillas del Loch a'Fideill (de allí su nombre), en la región de Gairloch, Escocia, y se dice que una noche, enloquecido porque la Feideall había devorado a su hermano, un joven aldeano de la región, de nombre Ewen McBeinn, salió en su busca y la mató, aunque la hazaña le costó la vida, porque lo encontraron ahogado a la mañana siguiente, tendido a la orilla del pantano, envuelto en un montón de algas y plantas arrancadas del fondo.

KORRIGANS

Si bien residen habitualmente en cuevas debajo de los dólmenes y menhires, son las hadas celtas guardianas de las fuentes y los arroyos, en los cuales pasan la mayor parte de su tiempo.

Algunas versiones afirman que las *Korrigans* son descendientes de las nueve druidas sagradas de la antigua Galia que, a su vez, eran sucesoras de los *Korred*, los elfos de las sombras que habitan los túmulos de las Islas Británicas.

Por lo general, las *Korrigans* son indiferentes a los seres humanos, excepto en aquellas ocasiones en que se las rechaza emotivamente, casos en que pueden ser muy peligrosas, como lo demuestra la siguiente narración, recogida en las costas británicas del Mar de Irlanda.

A sólo un año de su casamiento, el señor y la señora Nann fueron bendecidos con un par de gemelos, por lo cual el joven esposo se dirigió al bosque a cazar un venado con el que festejarían el acontecimiento. Sin embargo, la suerte no parecía estar de su lado, por lo que, al cabo de varias horas de infructuosos esfuerzos, se detuvo a la vera de un arroyo para refrescarse un poco. Desafortunadamente, el cauce estaba custodiado por una Korrigan, quien suspendió por un instante su tarea de peinarse para dirigirse a él.

~¿Quién te crees que eres para ensuciar mi agua? ~lo increpó furiosa. ~¡En castigo, si no te casas conmigo, te consumirás en los tormentos de la enfermedad durante siete años, o morirás en un lapso de no más de tres días!

~Lo siento, pero no puedo casarme contigo, pues hace solamente un año que me he desposado, y mi esposa acaba de darme un hermoso par de gemelos, que son la razón por la que me encuentro aquí. Y acerca de morirme, solamente Dios es dueño de disponer de mi vida y sólo Él puede decidir acerca de ella.

Dicho esto, el joven cabalgó de vuelta hasta su hogar y, a pesar de sus convicciones religiosas, pronto su salud comenzó a deteriorarse, hasta que, en el plazo exacto de tres días, murió como lo había vaticinado la Korrigan. Durante algunos días, nadie se atrevió a decirle la verdad a su viuda, pero al domingo siguiente, al cruzar el cementerio camino hacia la iglesia, ésta pasó cerca de una tumba recién ocupada y descubrió la triste verdad. Y nunca se pudo saber si fue debido al dolor por la pérdida de su esposo o por la magia de la Korrigan, lo cierto es que la mujer falleció también a los tres días exactos de enterarse de la muerte de aquél.

LAMIGNAKS

on las equivalentes a las *Korrigans* celtas en la Bretaña Armoricana, sobre todo en la región del actual país y la zona vasco-francesa del Golfo de Vizcaya. En apariencia son mujeres hermosas, de unos 60 o 70 cm de estatura, de una belleza apabullante por las noches, en que se transforman en diáfanas criaturas irisadas y sutiles que celebran ignotos rituales bajo la luz de la luna, pero la luz solar las deteriora rápidamente, convirtiéndolas en ancianas desdentadas y repelentes.

Un joven campesino vasco regresaba una noche de luna llena al hogar donde vivía con su esposa y sus dos hijos, cerca del lago Sangüesa, cuando vio a una Lamignak que peinaba sus cabellos sentada en una roca a la orilla del agua y se enamoró perdidamente de ella. Noche tras noche comenzó a

vagar sin rumbo por la playa pedregosa, suspirando como un alma en pena, hasta que el hada, halagada, se dejó seducir por él.

Tan absorto se encontraba el joven con el amor de la Lamignak, que comenzó a descuidar su trabajo y hasta a su propia familia, para pasar más tiempo con ella. Al principio, la esposa no hizo caso de las ausencias del marido, pero cuando éste comenzó a faltar noches enteras de su casa, su paciencia llegó a un límite. Finalmente, decidió seguirlo sin ser vista, y lo encontró besándose apasionadamente con la hermosa criatura de las aguas.

Tanto lloró y se lamentó la pobre mujer por la traición de su marido, que la dama del lago se conmovió por su pena y reprochó duramente al marido infiel:

–No sólo has abusado de la confianza de tu esposa, sino que también me has engañado a mí. ¡Ahora regresa a tu casa y olvídate de mi existencia, pues si te veo de nuevo por aquí tendrás una muerte atroz! –Y diciendo esto se sumergió en las aguas, desapareciendo para siempre de la vista del galán.

RUSALKI

Según las leyendas eslavas, difundidas en toda la Rusia europea, Rumania, Polonia y Ucrania, la mayoría de las *Rusalki* son muy hermosas, de piel pálida, pechos blancos y firmes, voz suave y ronca, y cabellera muy larga y flotante. Sus ojos tienen un brillo salvaje y generalmente van desnudas, pero cuando se visten, lo hacen con vestidos blancos muy ligeros, o con túnicas de hojas verdes.

Sus similares del sur de los Balcanes, en cambio (Bielorrusia, Bulgaria y Macedonia), llamadas *Judys,* tienen rostros horribles y son jorobadas y con largas garras afiladas.

Una Rusalka se casó con un varón humano, y durante varios años vivieron juntos en un palacio situado en las profundidades del lago Chernovodvye, sin preocuparse por la raza humana, hasta que un día el esposo escuchó un repicar de campanas y, al subir a la superficie para ver el origen del sonido, lo asaltaron en tropel los recuerdos de los árboles y los pájaros, y la sensación de la brisa y el sol sobre su piel. Repentinamente sintió nostalgia y decidió acercarse a su pueblo, para visitar a sus amigos y a su familia, cosa que hizo sin avisar a la Rusalka.

Pero el pueblo no lo recibió como él pensaba. Nadie dio señales de reconocerlo, ni respondió a sus saludos, por lo que esa noche regresó a palacio con lágrimas en los ojos y el corazón destrozado. Pero la Rusalka nunca le perdonó lo que ella consideraba una traición, y dos días más tarde el río Dnieper, que sin razón alguna había aumentado enormemente su caudal, devolvió a la orilla su cuerpo destrozado.

ASRAII

Quizás las hadas de las aguas dulces más conocidas en la Europa occidental sean las *Asraii* o Doncellas de las Aguas, unas frágiles y delicadas criaturas que sólo miden entre 40 y 50 cm de alto, y moran en el fondo de los lagos y ríos profundos, ya que no pueden subir a la superficie ni salir a tierra porque, si quedaran expuestas a la luz del sol, se convertirían en agua.

En realidad, las *Asraii* son ancianas de muchos siglos, a pesar de su aspecto joven, sus rostros perfectos y agraciados, de largos cabellos lacios, y del hecho de que acostumbran nadar desnudas en las noches de luna, moviendo con gracia sus pies levemente palmeados y dejando flotar detrás de sí su larga cabellera verde.

Un pescador de Cheshire se encontraba en plena tarea una noche de plenilunio —en una de las llamadas "Noches de Asraii", porque son las que éstas eligen para salir a la superficie a bailar—, cuando recogió en sus redes a la muchacha más hermosa que el ojo humano hubiera visto jamás.

Con sólo verla comprendió que estaba en presencia de una Asrai, pero aun así se resistía a devolverla al lago; por lo tanto, la subió al bote y la cubrió con algas y plantas acuáticas para hacerla entrar en calor ya que, al rozarla ligeramente para acomodarla en el fondo del bote, la sintió tan fría como la nieve y su mano comenzó a arder como si hubiera tocado un trozo de hielo seco.

Remó rápidamente hacia la orilla, tratando de llevar a su cautiva a un lugar seguro, pero los rayos del sol lo sorprendieron antes de lograrlo. En ese momento cesaron los gemidos de la Asrai y el pescador se volvió para mirarla, pero el delicado cuerpecillo pálido ya no estaba allí.

En su lugar sólo había un pequeño charco irisado, única prueba de su odisea nocturna, además de su mano ampollada por el frío.

AGUANE

Las *Aguane* (sing: *Aguana*) son hadas de las zonas de los Alpes bávaros y bergamascos, de estatura humana, gran hermosura, largas cabelleras verdes, voz dulce y armoniosa, y largos pechos planos que suelen colocar sobre sus hombros para amamantar a sus hijos mientras se encargan de sus tareas. Sin embargo, su apariencia humana no es definitiva, pues suelen cambiar de forma cuando lo consideran necesario, presentándose como brujas horribles, con apariencia de chivo, o como mujeres con patas de cabra, similares a los *Sátiros*.

En su trato con los seres humanos, la *Aguana* suele ser amable y bien predispuesta, pero no debe olvidarse que su misión principal es la protección de su estanque o arroyo, y debe tenerse mucho cuidado de no enturbiar innecesariamente el agua al vadear, beber o nadar en uno de ellos; en caso contrario, la *Aguana* suele enredar sus largos cabellos en los pies del intruso y arrastrarlo bajo el agua, llevarlo a su cueva y violarlo o, en algunas regiones, devorarlo; para evitar este desenlace, siempre es prudente pedir permiso a la *Aguana* antes de cruzar un vado o bañarse en un estanque.

En un atardecer de otoño, un hombre que caminaba por el bosque oyó un furioso ladrar de perros y una apremiante voz femenina que le gritaba:
—¡Por favor, toma tu cuchillo y traza un círculo a tu alrededor!
Sin saber muy bien por qué, el hombre obedeció y, tan pronto como lo hubo hecho, una hermosa y joven Aguana de senos bamboleantes saltó dentro del círculo y la jauría que la perseguía se perdió por otro sendero del bosque. Agradecida por haberle salvado la vida, la Aguana reveló al viajero la ubicación de cierto remanso, en el fondo del cual siempre habría disponible para él una buena provisión de pepitas de oro.

BEAN NIGHE
(LA LAVANDERA)

Esta hada-fantasma figura en las tradiciones más antiguas de todos los pueblos celtas insulares, aunque su fonética varía ligeramente según las distintas regiones.

El hábitat de esta hada se encuentra junto a los arroyos límpidos y cristalinos, lavando ropa que, en la mayoría de los casos, se describe como la que va a llevar en su entierro una persona del propio clan de la lavandera, que morirá en corto plazo. Según algunas leyendas,

"... las mujeres que mueren de parto deben ser consideradas muertas prematuras y, como tales, se deben lavar cuidadosamente todas las prendas que vestían en ocasión de su muerte porque, de lo contrario, se verían condenadas a lavarlas ellas mismas hasta el momento en que debería sobrevenir su muerte natural".

Otras versiones, en cambio, afirman que:

"... cuando la Bean Nighe aparece, es porque está lavando las ropas manchadas de sangre de algún integrante del clan que morirá próximamente, para que éste pueda vestirlas aseadas en su entierro".

La *Bean Nighe* puede ser, como toda *Banshee*, hermosa o deforme, pero casi siempre se la describe como de cuerpo pequeño, cabellos, ojos y vestido verdes y diminutos pies palmeados, por lo que algunas narraciones la identifican con las *Aguane* adoptadas por los pueblos celtas continentales.

Por lo general, la *Bean Nighe* anuncia una muerte, pero también se dice que si alguien la ve antes de ser visto por ella y se interpone entre ella y la corriente de agua, le concederá tres deseos, uno por cada respuesta correcta a tres preguntas que ella misma le formulará.

También se dice que, al osado que sea capaz de acercarse a ella sin ser visto y acariciar o succionar sus pechos chatos, lo aceptará como hijo adoptivo y lo protegerá durante toda su vida.

BEAN VARREI

El folklore de la isla de Man incluye innumerables relatos de las *Bean Varrei* (lit.: "mujer de las aguas"), equivalente manx de las *Murdhwacha* de las costas irlandesas, con muy escasas variantes regionales. Al igual que sus pares irlandesas, estas hadas de la isla de Man muestran una actitud amable hacia los humanos, ya que suelen salir a la superficie, poco antes de una tempestad, y avisar a los pescadores el peligro que corren. Tampoco es infrecuente que se enamoren de varones humanos, como lo recuerda esta vieja leyenda manx.

Evian Osgood era un joven pescador de la región de Ballakinnagh, en la Isla de Man, que un día, mientras buscaba huevos de aves marinas entre los riscos, oyó una dulce voz femenina que lo llamaba y cuando descendió a las restingas inferiores se encontró con una Bean Varrey (luego sabría que su nombre feérico era Maraí Sal Navai) sentada sobre una roca, peinando sus largos cabellos verdes.

Los encuentros se hicieron cada vez más frecuentes, hasta que, finalmente, el joven pasaba más tiempo en su barca que en tierra, por lo que los vecinos comenzaron a tildarlo de haragán y perezoso.

Molesto por las murmuraciones, Evian decidió hacerse marinero, pero antes de partir plantó un manzano en el acantilado, diciéndole a su amada Maraí:

—Cuando el árbol haya crecido lo suficiente, sus "huevos de tierra", como tú los llamas, comenzarán a caer al agua, y eso te indicará el momento en que regresaré a buscarte.

Pero los años pasaron y, aunque sus frutos caían al agua todos los veranos, el viajero no regresaba, por lo que la sirena decidió salir en su busca. Y aquí es donde los memoriosos disienten pues, mientras algunos afirman que Evian pereció ahogado en un naufragio en el Mar de la China, otros —aquellos que aman de verdad— saben que Maraí logró hallarlo por fin, y juntos construyeron un castillo en las profundidades, mientras el manzano esperaba pacientemente su regreso, sembrando con sus frutos el eterno Mar de Erín.

JENNY DIENTESVERDES
•
PEG POWLER

E ntre los tantos "cucos" a que recurren madres y abuelas para evitarles a sus niños peligros mayores, muchos de ellos están destinados a mantenerlos alejados de los ríos y estanques, y de los riesgos que ellos implican.

Las versiones anglo-sajonas de este tipo de criaturas son: *Jenny Greenteeth (Juanita Dientesverdes)*, que merodea en los ríos Ribble y Brock, en el condado de Lancashire, y *Peg Powler*, su contrapartida, que habita el río Tees, en Durham. Según cuenta la leyenda, ambas apresan a los niños imprudentes con sus enormes colmillos verdes, y los arrastran con ellas a las aguas profundas y estancadas de ríos y arroyos, para devorarlos, dejando de ellos solamente las ropas.

Una antigua leyenda inglesa cuenta que una mujer del pueblo de Newbiggin, a orillas del Tees, a quien Peg Powler había arrebatado su hijo, logró engañarla y hacerla salir a la orilla, tras lo cual la sujetó a un árbol mediante una red de pesca. A medida que transcurrían las horas, la horrible bruja se debatía desesperadamente para liberarse, hasta que finalmente se convirtió en cenizas al ser alcanzada por los quemantes rayos del sol naciente.

LAS DONCELLAS DEL AGUA

Dones d'Aigua es el término genérico dado en Cataluña a las hadas que habitan los ríos, estanques y fuentes, tanto de la región aludida como de sus adyacencias, incluyendo las Islas Baleares. Sin embargo, su nombre regional varía según la zona (*"Llufs"*, *"Paitides"*, *"Goges"*, *"Aloges"*, etc.), aunque todas ellas pertenecen a la familia de las ninfas y hadas acuáticas.

Las *Dones d'Aigua* miden de 1,20 a 1,50 m de estatura y son increíblemente hermosas, visten lujosos vestidos de fiesta y son muy aficionadas a las joyas. Duermen durante la mayor parte del día y sólo pueden ser vistas al mediodía, cuando toman sus baños de sol, y por la noche, bajo la luz de la luna. Sin embargo, muchos pobladores de la zona afirman que aún pueden verse por las inmediaciones, y cuentan una anécdota sucedida hace relativamente poco tiempo en la vertiente ceretana del Carlit:

Un testarudo joven fue advertido por sus compañeros de que no se acercara al embalse del Matarrañas, el río mágico, ya que en sus profundidades vivía una familia de Aloges, pero el muchacho, desoyendo sus advertencias, llevó a sus ovejas a pastar en sus riberas.

No pasó mucho tiempo sin que apareciera la más joven y hermosa de las hadas de la familia, quien lo desafió a una prueba de resistencia: él tocaría su flauta de caña y ella bailaría, y el que resistiera más tiempo sería el vencedor.

Aceptó el pastor y tocó durante tres días y tres noches, mientras ella bailaba al son de su flauta. Sin embargo, al cabo de ese tiempo se quebró la resistencia del joven y tuvo que admitir su derrota, ante lo cual la Aloge reclamó su premio, y se llevó al pastor y todo su rebaño a las profundidades del lago, de donde ninguno de ellos regresó jamás.

LAS MUJERES DEL RÍO

El temperamento de estas hadas refleja la naturaleza de las aguas que habitan, ya que a veces se muestran con la serena dulzura del remanso más apacible, pero de pronto, sólo unas pocas horas más tarde, se encrespan y rugen como el torrente más furibundo, que arrastra a su paso todo lo que se le interpone.

Por lo general, no son peligrosas para los seres humanos, especialmente en invierno y en verano, pero deben evitarse en primavera, cuando comienzan a alborotarse bajo el influjo de la pasión.

Existen tantos nombres para las *Mujeres del Río* como regiones habitan, aunque los más difundidos son los de las *Fenetten* francesas y alemanas, que habitan el valle del Ródano, las *Dracae* de las costas mediterráneas de Francia y el noroeste de Italia, las *Kallraden* suecas, las *Heklai* islandesas y finesas y las *Maelwäs* de la península de Varangerhalvoya, en el Mar de Barents.

Las principales actividades de las *Mujeres del Río* son danzar, peinarse, tocar sus instrumentos y cambiar su forma corporal pues, como todas las hadas acuáticas, gustan de variar su apariencia con mucha frecuencia.

En su aspecto habitual son hermosas, con una belleza más juvenil que la de las *Sirenas,* una estatura entre 120 y 150 cm, tez clara y suave como el terciopelo y larga cabellera del color del sol en el ocaso.

Sus ojos son verdes, al igual que sus ropas cuando revisten una apariencia humana, pero también pueden aparecer como peces, mujeres-peces, burbujas doradas o incluso flores y plantas ribereñas. Cuando adoptan una forma humana se las puede reconocer por su pelo siempre mojado, ya que si permitieran que éste se secara, perecerían.

MAYUP MAMÁN

Llamada también *Maiu Mamán,* es la deidad protectora del Río Dulce santiagueño, aunque su hábitat se extiende a gran parte del noroeste argentino.

Se la representa como una hermosa mujer rubia, cuya cabellera peina con un peine de oro, una rama de ullúa (espinillo) o con una ñajta (espinazo) de pescado.

Al igual que a las *Sirenas* tradicionales, casi siempre se la describe con su mitad inferior en forma de pez, aunque se trate de un personaje eminentemente mediterráneo. Según la leyenda, se la puede ver cabalgando la primera ola que anuncia las crecidas del río Dulce o retozando en sus aguas terrosas, pero tampoco desdeña juguetear en las ramas de los árboles ribereños, en las noches de luna o durante las tórridas siestas de Santiago del Estero.

También se cuenta que en un lugar secreto posee grandes tinajas en las cuales guarda la lluvia, para distribuirla cuando realmente hace falta, y que anuncia a los hombres buenos la llegada de las crecientes y la formación de bañados y esteros peligrosos para el viajero. Algunos agregan que se ocupa también de arrear las nubes hacia los campos, para derramar sobre los sembrados la bendición de la lluvia. En este último caso toma la forma de una serpiente gigantesca, quizás una remembranza de la antiquísima *Kai-Kai Filú,* la mítica serpiente mapuche.

Sin embargo, no todo es bondad en ella, pues en ocasiones arrastra a los hombres al fondo de las aguas, ahogándolos si se niegan a mantener relaciones sexuales con ella.

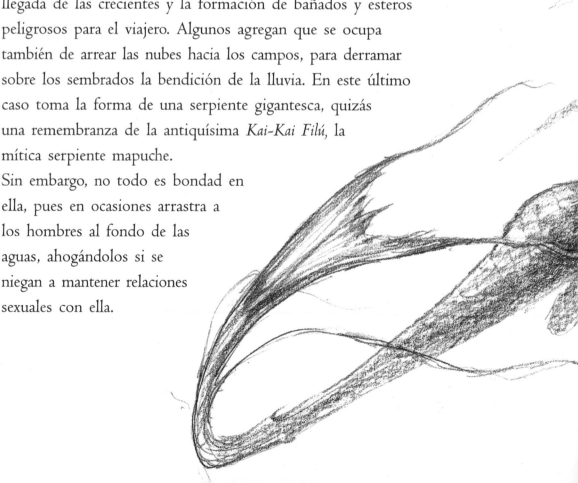

Un "sucedido" escuchado en un pequeño pueblito perdido entre los bañados del río Dulce en el Departamento de Atamisqui, Santiago del Estero, cuenta la historia de una "guagua" (niña) de una familia muy pobre, que se había alejado de sus padres para recoger unas flores de piquillín, con tanta mala suerte, que se perdió dentro del bosque de mistoles.

Y así anduvo y anduvo hasta que, ya cansada, se recostó a la sombra de un algarrobo, a la orilla del río, y tiró las flores al agua, comenzando a llorar amargamente.

–¿Por qué lloras, guagua? –preguntó de pronto una mujer de voz muy dulce, que parecía haber salido del agua, pues su hermosa cabellera rubia estaba completamente mojada.

–¡Pues porque me he perdido! –sollozó la niña, ante lo cual la Mayup Mamán (pues de ella y no de otra se trataba) respondió:

–No te preocupes, porque yo sé dónde vives, ya que muchas veces te he visto jugando junto al arroyo de la cañada, y te voy a acompañar hasta tu rancho.

–Pero yo nunca te había visto antes, ¿de dónde has salido? –preguntó la niña.

–Es que vengo de otro mundo, y tus flores han abierto la puerta para que pudiera pasar. Y ahora, además de llevarte hasta tu casa, te daré una linda piedra brillante para que se la ofrezcas de regalo a tu madre.

Y al llegar al mísero rancho donde ya la estaban esperando sus padres, puso en la mano de la niña una gruesa pepita de oro, con lo que la pequeña y su familia ya no tuvieron que pasar necesidades nunca más.

EL ESPEJO EN LA FUENTE

En tiempos muy antiguos, tanto que la sede del Trono Imperial se hallaba aún en la ciudad de Heiran –que mucho después se llamaría Kyõto–, el país sufrió una sequía tan grande que todas las fuentes, pozos y arroyos se secaron, excepto, curiosamente, la fuente que fluía en el jardín de un templo shintoísta, que no sólo no se secó, sino que ni siquiera menguó el caudal de sus aguas frescas y abundantes.

Sin embargo, a poco de comenzar la sequía, el barrio de Kìogoku, donde se levantaba el templo, se vio conmocionado por la muerte del joven sirviente de una casa vecina, cuyo cuerpo fue descubierto flotando en la fuente del templo. Fueron muchas las conjeturas sobre el caso, hasta que finalmente privó la teoría del suicidio, avalada por el hecho de que el joven adolecía de amores no correspondidos con una joven de la vecindad.

El único que no quedó satisfecho con aquella explicación fue el sacerdote Matsumura, encargado del templo, quien se dirigió al pozo, intuyendo que una presencia maligna se había adueñado del lugar. Inclinado sobre el agua, examinó largamente la tersa superficie y, de repente, percibió una leve ondulación en ella, tras lo cual pudo distinguir claramente la nítida imagen de una hermosa joven, cuyo rostro, de rasgos finos y delicados, se veía enmarcado por una larga cabellera, negra como el ala de un cuervo, que su dueña peinaba con graciosos gestos.

La visión fascinó a Matsumura, que poco a poco sintió que se apoderaba de él una extraña embriaguez que lo atraía irresistiblemente hacia el fondo del pozo. Recurriendo a toda su voluntad, Matsumura pudo resistir el embrujo; cerró los ojos y, al comprender que había estado a punto de caer a una muerte segura, ordenó construir una cerca que impidiera la repetición del hecho.

Afortunadamente, pocos días después de este incidente se desató una tormenta, tan violenta como inexplicable, que acabó con la sequía.

El sacerdote respiró aliviado pero, a la tercera noche de tormenta, fuertes golpes azotaron su puerta, mientras una angustiada voz de mujer rogaba que le permitieran entrar. Y cuando el sacerdote preguntó quién llamaba, la voz contestó:

–Mi nombre es Yahoi, maestro Matsumura. Abridme, por favor, pues tengo algo muy urgente que deciros.

Grande fue la sorpresa del monje, al abrir la puerta y encontrarse con el rostro que había entrevisto en el pozo, igualmente bello, pero sin la sonrisa que iluminara sus rasgos en aquella extraña ocasión.

~¡De ninguna manera te permitiré entrar en el templo! –dijo el monje–. Tú no eres humana, sino una criatura malévola que ya ha matado a varias personas.

~Eso es lo que deseo explicar. Durante incontables años, un dragón maligno, que era el amo de la fuente, me hizo caer en ella y me convirtió en su esclava para, a través de mí, obligar a los hombres a caer en la fuente y alimentarse con su sangre. Pero ahora los dioses han enviado al dragón a una provincia remota, y yo he venido a pediros que, sin tardanza, retiréis mi cuerpo del pozo y le otorguéis el descanso eterno –dicho esto, el fantasma se desvaneció en las sombras de la noche.

Pocos segundos después la tormenta se extinguía como por arte de magia y, a la mañana siguiente, el sacerdote encabezaba la búsqueda del cuerpo de la muchacha, aunque sin otro resultado que la aparición de un espejo cubierto de algas y fango. Desconcertado, Matsumura pensó que tal vez en aquel espejo se encontraba la pista para desentrañar el misterio, pues sabía que los espejos son artilugios mágicos, poseídos por volubles almas femeninas. Aquello fue suficiente para que el sacerdote comprendiera que el alma de Yahoi era quien poblaba aquel espejo, por lo que lo limpió cuidadosamente y preparó para ella los ritos funerarios correspondientes.

La ceremonia fúnebre se desarrolló normalmente y, esa misma noche, Yahoi apareció nuevamente ante Matsumura, esta vez irradiando una belleza serena y apacible.

~Soy, como pensaste, el espíritu del espejo –le dijo– y he pasado muchos años en el pozo, esclavizada por el dragón. Hoy he recuperado mi libertad, gracias a ti, y vengo a retribuirte tu ayuda: no permanezcáis un momento más en este templo, pues los dioses han decretado su destrucción –dicho esto, la imagen de Yahoi se desvaneció en el aire. Matsumura se apresuró a seguir las indicaciones del espectro y, al día siguiente, el templo fue arrollado por una inundación, provocada por una tormenta tan violenta e inexplicable como la primera.

LA MADRE DEL AGUA

Hace ya mucho tiempo, tanto que hasta las leyendas ovidaron su nombre, vivía en China una mujer viuda y muy pobre que compartía una humilde choza con su suegra, una mujer malévola y resentida, que la odiaba y disponía de ella como de una sirvienta.

Hasta que un día, simulando un enojo que no sentía, le espetó a su nuera:

—Toda el agua que utilizamos en esta casa nos la traen los aguateros, y no podemos afrontar ese gasto, así que, desde ahora, tú traerás el agua del pozo, o no te daré más de comer.

La mujer tuvo que acatar la orden, y así, desde ese momento, además de alimentar los cerdos y los perros, lavar y zurcir la ropa y preparar la comida, debía ir varias veces al día a traer el agua para la casa.

Hasta que, finalmente, el esfuerzo y la desazón de sentirse menospreciada y esclavizada por su suegra la hizo entrar en un estado de profunda depresión, al punto que la idea del suicidio obnubiló por un instante su mente y se levantó, dispuesta a arrojarse al pozo.

De repente, una anciana de blancos cabellos, surgida de quién sabe dónde, la sujetó por los brazos y le dijo:

—No hay ninguna razón para que mueras. Te daré una vara mágica, con la que sólo tendrás que golpear el cubo por las mañanas, y ella te proveerá del agua que necesites. Pero asegúrate de no golpear más de una vez, o las consecuencias serían irreparables.

Pero sucedió que la suegra, al descubrir que ya no iba diariamente al pozo en busca de agua, la espió para ver cómo la obtenía y, arrebatándole la vara mágica, comenzó a golpear con ella el balde, una, dos, tres veces. Al momento salió tal cantidad de agua que rebasó el cubo y comenzó a cubrir la casa, luego el pueblo y finalmente toda la región, que se convirtió en un vasto lago, en el cual todos perecieron ahogados.

Y cuenta la leyenda que en las proximidades del lugar donde se hallaba el balde, ahora transformado en una vertiente, la gente construyó un templo en honor a la pobre y sacrificada mujer, que desde entonces fue llamada La Madre del Agua.

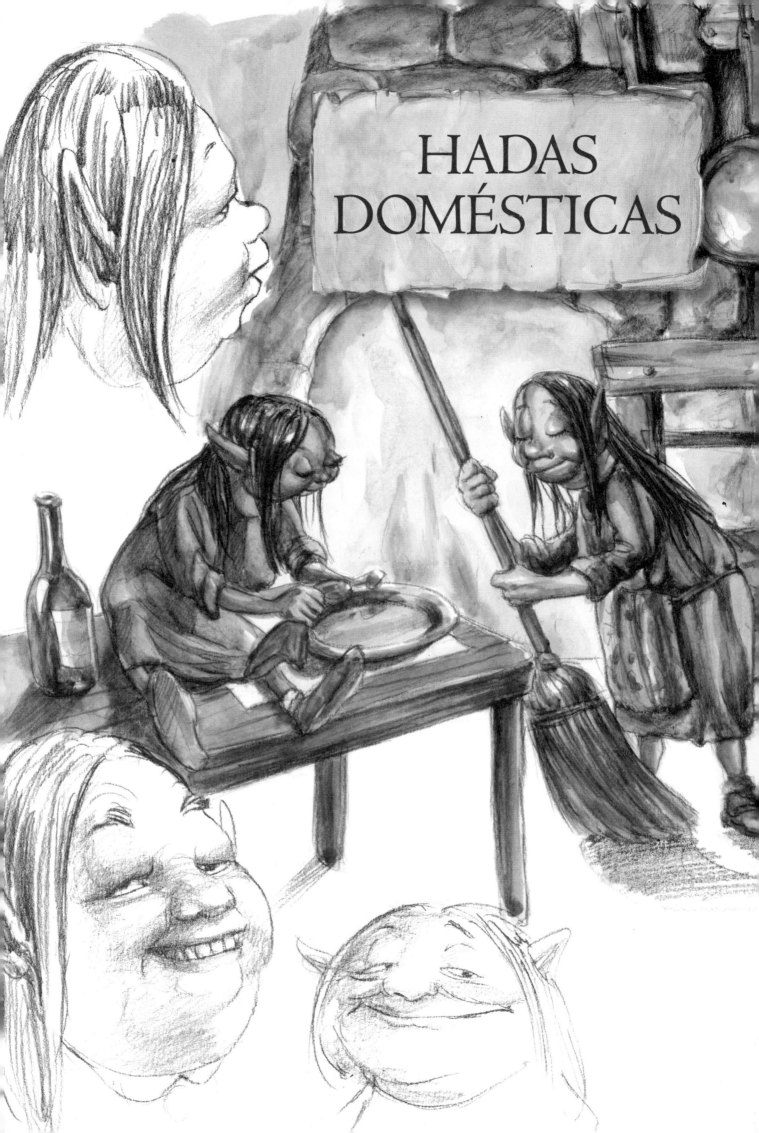

HADAS DOMÉSTICAS

LAS DAMAS BLANCAS

Son las equivalentes a las *Korrigans* y las *Fate* de la Europa septentrional, y se las conoce como *Fainen*, *Weise Fraulein* y *Sibilas*, según el país que habiten; desafortunadamente, constituyen uno de los tipos de seres feéricos menos vistos en los últimos tiempos, en parte porque no pueden adaptarse a la vida moderna, y en parte porque sólo pueden verlas los nacidos en domingo o los que poseen un talismán élfico, y eso sólo cuando besan a un niño. Por otra parte, visten siempre con una túnica blanca y suelta, que hace que muchos las confundan con fantasmas.

En sus relaciones con los humanos son muy generosas, pues ayudan a los viajeros extraviados, asisten a las mujeres en el momento del parto, muestran a los mineros los mejores yacimientos metalíferos y hacen que las vacas produzcan más leche. Sin embargo, pese a su generoso carácter, pueden irritarse fácilmente si los hombres se comportan en forma cruel o ingrata, y entonces son enemigas de temer.

En las montañas del Tirol, un joven se hizo amigo de una hermosa niña de dulces ojos azules y pelo muy rubio, que vestía un deslumbrante vestido blanco y que un día, al marcharse, le regaló unas brillantes piedras amarillas, que resultaron ser pepitas de oro.

Sin embargo, el joven, al crecer, utilizó su regalo para convertirse en un hombre advenedizo y desdeñoso con las mujeres, a las que le agradaba seducir y luego abandonar sin piedad.

Pero el hada, que no otra cosa era su amiga de la infancia, seguía de cerca su vida y no podía presenciar pasivamente su crueldad; así que, un día en que él se encontraba con una doncella en las montañas, se presentó de improviso y lo despeñó por un precipicio, propinando a la joven una bofetada que le dejó la cara marcada para siempre, para que, en lo sucesivo, eligiera mejor a sus acompañantes.

LAS DAMAS VERDES

S i bien en otros tiempos vivían en comunidades en los bosques, su afición por la compañía humana masculina hizo que en los últimos tiempos se las viera con frecuencia cerca de los asentamientos humanos, donde suelen seducir a los hombres jóvenes y apuestos, a veces destruyéndolos con la efusividad de su pasión.

Las *Damas Verdes* habitan en las ubérrimas praderas abundantes en pasturas del este de Francia, alojándose en las cuevas de sus boscosas colinas, cerca de los arroyos y las cascadas. Su naturaleza, aunque etérea, recuerda la de un ser vivo que transmite vitalidad, ímpetu y crecimiento desbordante, como el viento primaveral que funde las nieves del invierno. Según la leyenda,

"... las Damas Verdes aparecen físicamente como doncellas adolescentes, hermosas y extremadamente seductoras; visten túnicas del color de su nombre y muy insinuantes, aunque rara vez pueden verse en su forma natural, ya que prefieren permanecer invisibles, excepto cuando tratan de seducir a sus víctimas.

Su entretenimiento principal consiste en merodear por los caminos apartados de los bosques y por las márgenes de los arroyos, burlándose de los jóvenes aldeanos y aferrando a los viajeros por el pelo y suspendiéndolos en el vacío, sobre las altas cascadas montañesas. También frecuentan las huertas y los sembrados, donde, en algunas ocasiones, ayudan a los labradores en sus tareas de siembra y cosecha".

ELLYLLON

En la región de Caernarfonshire, al norte del País de Gales, se las describe como hadas diminutas y sutiles, más pequeñas aún que las *Asraii*, que se alimentan exclusivamente de lo que se conoce como "manteca de hadas": una sustancia cremosa segregada por un liquen que crece espontáneamente en los huecos de los robles. Al sur del país, en cambio, las *Ellyllon* se mencionan como menos etéreas y más traviesas que sus pares del norte.

Rowli Pugh era un hombre signado por la mala suerte: sus cosechas se malograban sin razón, perdía sus manadas cuando todas se mostraban prósperas y saludables y, para colmo de males, Kathi, su mujer, inválida, casi no podía abandonar el lecho, y menos aún hacer las tareas del hogar o ayudarlo con las labores de la granja.

Hasta que una tarde se le presentó una Ellyll (sing. de Ellyllon), quien le dijo que ya no necesitaría preocuparse más; que sólo limpiara todas las noches la ceniza del hogar y dejara una vela encendida en la planta baja, que ella y sus amigas se encargarían del resto.

Así lo hizo Rowli: esa noche él y su esposa se retiraron temprano, después de cumplir con lo que había pedido la Ellyll, y durante horas escucharon alegres risas y bullicio que subían desde la planta baja, y a la mañana siguiente la casa se vio aseada y reluciente. Paralelamente, la salud y el bienestar de los granjeros comenzaron rápidamente a mejorar, al igual que las cosechas y el ganado.

Pero al cabo de cuatro años de esta rutina, Kathi comenzó a sentirse intrigada por ver trabajar a la "gente pequeña", y una noche en que ya no pudo contener su curiosidad, dejando a su esposo dormido, bajó en puntas de pie la escalera, y allí estaban las diminutas Ellyllon, trabajando a todo vapor, mientras jugaban y reían entre sí.

Pero entonces, una de las pequeñas hadas se volvió y vio a Kathi espiándolas; inmediatamente, sopló un viento frío que apagó la vela, se oyó un ruido de minúsculos pies descalzos que corrían, y luego todo quedó en un silencio sepulcral.

Las Ellyllon nunca más volvieron a cuidar de la casa de Rowli; pero, para su fortuna, el matrimonio ya había recuperado totalmente su salud y pudo seguir prosperando sin dificultad.

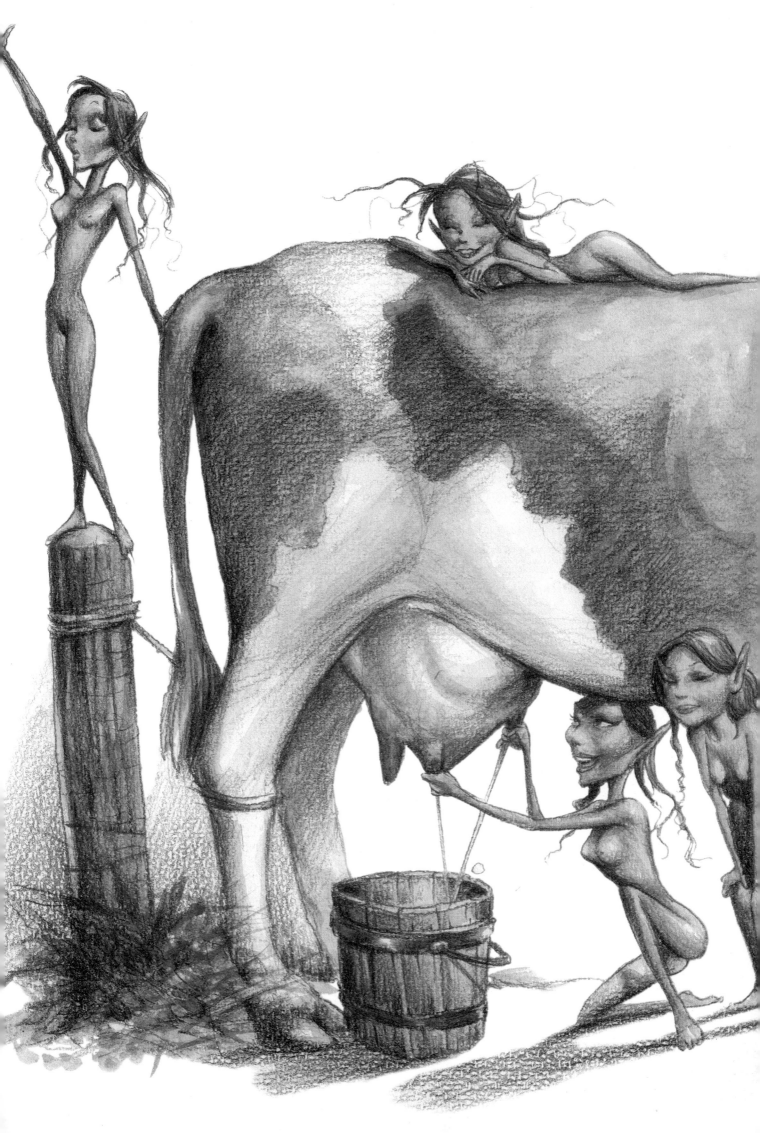

POLTERSPRITES

Sin duda, muchos de nuestros lectores habrán oído hablar del fenómeno *Poltergeist* pero no todos saben que sus efectos se deben a las actividades de las *Poltersprites*, unas hadas domésticas descendientes de los *Kobolds* (a los cuales describiremos en otra ocasión) que, como ellos, son metamorfas, es decir que pueden cambiar de forma a voluntad, desde la apariencia de diversas plantas o animales domésticos hasta implementos inanimados, como mesas, sillas y otros utensilios, e incluso cosas más sutiles e intangibles, como ráfagas de viento, telas de araña o rayos de luna filtrándose entre las ramas de los árboles.

En su comportamiento general, estas criaturas suelen ser afables con los humanos y hasta ayudarlos con las tareas de la casa o la granja, pero siempre combinando estas actividades con su diversión favorita: hacer ruidos molestos y estridentes, a menudo mientras rondan las casas adoptando la forma de una ardilla, un gato o un ratón, su apariencia preferida, ya que suelen asustar a muerte a las mujeres.

Por lo general, sus entretenimientos predilectos son rechinar y azotar las puertas y ventanas, hacer tintinear los platos y cubiertos en los aparadores, abrir y cerrar los cajones, arrojar piedras, nueces y bolitas por las escaleras y rechinar los elásticos de las camas.

Su vestimenta, cuando se las logra ver, consiste en largas túnicas de tela basta, de colores blanco, gris o verde, con unos gorros característicos, en distintos tonos de rojo, denominados en alemán *Tarnkkappen*, y que les otorgan la virtud de la invisibilidad.

Su hábitat, quizás el más extenso de todas las criaturas feéricas, abarca casi la totalidad de Europa y se ha extendido también a América, acompañando a los inmigrantes llegados del Viejo Continente, ya que, si bien se relacionan con los *Kobolds*, como dijimos, no están sujetas como ellos a los árboles o arbustos en los que habitan, sino que son libres de viajar cuando y donde se les antoje, generalmente en alas del viento, con el que están íntimamente asociadas.

Según su país de origen se las denomina *Sotret* en Francia, *Knocky Boh* en Inglaterra, *Elerken Klopferle* y *Poppele* en Alemania y *Bildukka, Ztrazhnik, Bubak* y *Straszydlo* en los países eslavos.

En un pequeño pueblo llamado Wäldii, situado a orillas del Lago Constanza, en el noreste de Suiza, apareció, hace no muchos años, una Poltersprite a la que los habitantes de la finca nunca consiguieron ver, pero que llevó a toda la familia casi al borde de la locura, haciendo todos los ruidos y travesuras que se le ocurrieron: arrojar grandes piedras a los tejados de la casa, abrir y cerrar violentamente todas las puertas, ventanas y cajones, apagar la chimenea en lo más frío del invierno, rondar la casa chillando, ladrando y maullando y hasta robando las prendas de vestir de los integrantes de la familia, que luego aparecían colgadas de los árboles de los alrededores.

Desesperados, los dueños de casa mandaron a buscar al párroco del pueblo más cercano, para que los ayudara a deshacerse de ella, pero todo fue en vano; en la primera sesión, ni siquiera la asistencia eclesiástica pudo disuadir a la criatura.

Ya casi agotados los recursos, el padre de familia acudió a la sede de la iglesia del condado, solicitando la intervención del mismo obispo, quien tampoco logró expulsarla, aunque pudo confinarla a un nicho en la pared, pero sólo con la condición ineludible de que los dueños de casa cumplieran puntualmente dos promesas: dejar todas las noches, frente al hueco del muro, una ofrenda de leche, queso y pan recién horneado, y que donaran regularmente a la iglesia las velas que se consumían durante las misas.

Con estas condiciones, el silencio y la tranquilidad volvieron a la casa, que se mantuvo así durante diez años. No obstante, con la muerte de sus dueños, las dos promesas se fueron relajando, las ofrendas no guardaron la regularidad prometida, con lo cual el hada volvió a las andadas y la familia debió abandonar la casa, que finalmente se derrumbó por obra del tiempo.

EL HADA DEL MOLINO DE FINCASTLE

Moira *Fowler* es el nombre con el que se conocía a un hada de la región de Armagh, al norte del Ulster, donde vivía con su hija Fernia, producto de sus amores con un humano. Ambas pasaban las noches realizando numerosas tareas domésticas en las granjas de las afueras de Killmore, pero antes del amanecer se marchaban a su lugar de retiro, el molino de Fincastle, famoso en la región por estar embrujado, por lo que nadie osaba acercarse allí después de haber anochecido.

Una noche, una joven que se encontraba preparando la torta para su boda, descubrió consternada que le faltaba harina para terminarla, y decidió ir hasta el molino y completarla allí. Al llegar, encendió una gran hoguera, aguardó hasta que las brasas estuvieron en su punto, las trasladó hasta el viejo horno de barro y comenzó a moler la harina para su pastel. Ensimismada en su tarea, la sorprendió la medianoche, la hora preferida de las hadas y las brujas, en que salen a retozar y a cometer sus tropelías terrenales. Y en esa tarea la sorprendió Fernia, quien regresaba sola desde la granja, y decidió asustarla un poco, para divertirse. Con ese propósito, trocó su forma en la de un enano jorobado y deforme, con un rostro verrugoso y aterrador, y acercándose al fogón, interrogó a la joven con voz cavernosa:

–¿Quién demonios eres tú y qué estás haciendo aquí?

Sin demostrar temor por la espantosa aparición, la muchacha respondió desafiante:

–¡Soy yo misma y soy la que va a quemar esa desagradable carota tuya, si no me dejas tranquila! –le dijo amenazante; y como el engendro siguiera acercándose, le arrojó al rostro una palada de brasas que acababa de sacar de la hoguera. La brujita, dolorida y furiosa por la quemadura, se abalanzó hacia ella, con tan mala fortuna que cayó sobre el fuego, abrasándose gran parte del cuerpo.

Aterrada, la joven salió huyendo, al tiempo que llegaba Moira Fowler, quien preguntó a su hija quién la había quemado.

–Yo misma –respondió Fernia, repitiendo la respuesta que le había dado la joven. Y ante esta respuesta, la bruja madre se vio imposibilitada de vengarse de la agresora, por desconocer su nombre.

Sin embargo, la continuación de esta narración muestra lo vengativas que pueden ser las hadas y lo peligroso de sus represalias, incluso las de las *Ellyllon,* que son hadas domésticas, como era el caso de *Moira Fowler.*

Habían transcurrido varios años desde el incidente del Molino de Fincastle, cuando la joven, durante una reunión, narró al que ahora ya era su esposo lo acontecido en el molino, con tanta mala suerte que, sin que nadie supiera cómo, la historia llegó a oídos de Moira Fowler, quien de esta forma se enteró del verdadero nombre de la agresora de su hija.
Sin perder tiempo, el hada tomó su postergada venganza, arrojando a la joven desposada un maleficio que la imposibilitó para ser madre durante todo lo que le quedara de vida.

FAIRIES

Si bien el término inglés "fairy" describe en forma genérica a toda la *Gente Menuda*, en este caso se aplica a un tipo de hada determinada, posiblemente porque ha llegado a ser la imagen paradigmática de estas criaturas, quizás porque pueden verse a lo largo y lo ancho de todo el territorio de las Islas Británicas, danzando alegremente en los *"Corros de Hadas"*, hermosas y etéreas bajo la luz de la luna; durante el día, en cambio, su belleza se convierte en fealdad y aparecen como enanas arrugadas y deformes.

Sin embargo, como son extremadamente vanidosas y no les gusta que las vean en esta apariencia, en las horas diurnas suelen transformarse en pájaros, gatos, liebres, mariposas o libélulas. Su hábitat es sumamente variado: huecos entre las raíces de los robles, cuevas, túmulos y otros monumentos megalíticos e incluso grandes y fastuosos palacios a flor de tierra, que sólo pueden verse durante las noches de plenilunio.

Una leyenda irlandesa menciona a un granjero que poseía un hermoso manzano, que producía la mejor fruta de toda la región, por lo que era codiciado por un vecino envidioso, a tal punto que éste se pasaba noches enteras espiando el árbol y buscando la forma de apoderarse de él.

Así, una noche en que vigilaba la huerta del vecino, vio luces que brillaban entre las hojas, y oyó canciones procedentes de la copa del árbol. Ardiendo de envidia, entró en su casa, tomó un hacha y taló el árbol de raíz, pensando que lo que fuera que producía aquellas luces y aquellos trinos se trasladaría a su propio árbol.

Pero pronto comprendió su error; al instante las luces se apagaron y las canciones cesaron, mientras una bandada de pequeños pájaros multicolores salía disparada hacia él y comenzaba a picarle los ojos, cegándolo para toda la vida.

Las Fairies habían perdido su árbol mágico, pero el egoísta perdió la visión y poco después se murió, víctima de la venganza de las hadas.

HADAS MALÉVOLAS

LAS VILI

"*L*as *Vili* blancas son malas, pero las negras son peores", reza un antiguo adagio ruso, que en Rumania está reemplazado por: "La única *Vila* buena es la que no existe", y este antagonismo entre el hombre y las *Vili* proviene, según la tradición eslava, desde que el mundo es mundo.

Estas criaturas feéricas, que son exclusivamente femeninas, habitan las elevadas cordilleras septentrionales de Europa, especialmente los riscos más escarpados, donde cuidan todo lo que pertenezca o esté relacionado con la Naturaleza, como las fuentes, arroyos, ríos, animales, plantas, etc. Hablan el idioma de los animales y crían manadas de renos y gamos, y si un cazador mata uno de sus animales, lo castigan con una mutilación grave, o incluso la muerte. Cuando un ser humano entra en su territorio, las *Vili* gritan tan fuerte que el hombre huye despavorido, y aquéllos que logran sobreponerse y permanecen en la zona, mueren de un ataque cardíaco, ahogados o los sepulta un alud de nieve o barro. Esto es especialmente válido para las mujeres, ya que las *Vili* son terriblemente celosas y envidiosas, y no pueden soportar la belleza de una mujer humana.

Sin embargo, algunas de estas criaturas tienen su lado benévolo y pueden curar males de diversos tipos, tanto mentales como espirituales, dar consejos sobre la mejor manera de plantar y cosechar, resucitar a los muertos y hasta revelar sitios donde hay tesoros ocultos.

Mientras cazaba un día por el bosque, Vladimir cayó malamente en
una grieta cubierta por la nieve, rompiéndose una muñeca y un tobillo.
Inmediatamente, una Vila se materializó a su lado y se ofreció a curarlo, pero le exigió un pago algo extraño:

– Tendrás que darme tu mejor navaja; tu hermana me dará su pañuelo
de seda; tu hermano, su caballo y su halcón más entrenado; tu madre,
toda la seda que tenga, y tu mujer, su collar de perlas.

El cazador aceptó y la Vila lo curó, pero al momento de pagarle, él, su
madre, su hermano y su hermana pagaron con gusto, pero su mujer
se negó a hacerlo.

–Si ella no quiere pagar, entonces no tiene derecho a retenerte –dijo
la Vila, furiosa, y se llevó al joven con ella, convirtiéndolo en su esposo.

Espiando a través de las ramas de un abedul, en un bosque de la Alta
Rumania, un cazador de nombre Vlad vio a una Vila ordeñando una
reno, pero un macho se acercó desde atrás y, montando a la hembra, tiró
con sus patas el balde con la leche.

–¡Bestia indisciplinada! –gritó furiosa la Vila–. ¡Ahora dejaré que
venga Vlad, el cazador, y te mate! El aludido, que había estado
caminando todo el día sin cazar ni una ardilla, vio llegada su
oportunidad y derribó al macho de un solo disparo de su fusil.

–¡Tú eres una bestia mayor de lo que él era! –chilló la Vila fuera de
sí–. ¡Ojalá que el ojo que utilizas para apuntar se te caiga ahora
mismo! –Y antes que terminara de decirlo, Vlad había perdido
su ojo derecho, arrancado por una astilla de abedul.

BLACK ANNIS O ANNIE

según evidencias recogidas por distintos autores, entre ellos J. Jacobs y D. Hyde (en *English Fairy Tales* y *Beside the Fire*, respectivamente), los cultos a la *Black Annis* aún subsistían en el noroeste de Inglaterra no hace más de cincuenta años, y la describían como una bruja antropófaga de cara pálida y esquelética, dientes largos, agudos como sables, y garras aceradas con las que destrozaba a sus víctimas humanas. Su guarida era una cueva en las boscosas laderas de las Mowbray Hills, llamada irónicamente "la mansión de *Annis*" que, se decía, había excavado con sus propias uñas; en la boca del cubil había un roble, en el cual se apostaba para saltar sobre los viajeros desprevenidos que circulaban por el camino que unía el pueblo de Knipton con los de Chadwell y Sileby. En la región de Leicester, hasta hace relativamente pocas décadas, era costumbe realizar una cacería con sabuesos desde la "mansión de *Annis*" hasta la plaza de la ciudad, en la cual se utilizaba como carnada un gato muerto empapado en anís; esta tradición se extinguió recién después de mediados del siglo XIX.

Según las leyendas, cuando *Black Annis* rechinaba sus dientes, el sonido podía oírse a millas de distancia, y entonces los habitantes de Leicester cubrían sus ventanas con tablas y colocaban sobre ellas ramas de muérdago y collares de bellotas, para mantenerla alejada.

Según las leyendas, la Black Annis (o Gentle Annis, como se la llama en el distrito de los lagos), es el espíritu responsable de los climas procelosos, que desencadenan los huracanes y provocan el hundimiento de las barcas pescadoras en el estuario del río Cromarty, en Escocia.

Esto le adjudica al hada una característica perversa y traidora, ya que un día puede comenzar sereno y apacible y, cuando los pescadores se hacen a la mar, en cuestión de minutos se desencadena un vendaval intermitente y arrachado que pone en peligro sus precarias embarcaciones.

Hasta hace pocas décadas, los habitantes de la región solían colocar ofrendas de pescados y mariscos en las rocas de la orilla, para congraciarse con la Black Annis y así aplacar su ira.

CAILLEACH BHEUR

Como su nombre lo indica —su traducción literal es "la anciana del invierno"— la *Cailleach Bheur* es una bruja de rostro pálido y macilento, cubierto de verrugas, que reina sobre toda la región de las Highlands (Tierras Altas) de Escocia, al norte de los montes Grampianos, y desde las costas del Mar del Norte, al este, hasta las Islas Hébridas por el oeste.

Si bien *Cailleach Bheur* es su nombre más difundido, existen pautas que señalan las creencias populares de otros personajes similares en Escocia, como la *Gentle Annis* de Cromarth Firth (hoy Cromarty, en las orillas del Mar del Norte) y la *Caillag ny Groamagh* de las Lowlands (Tierras Bajas).

También la variedad de apariencias con que se menciona a las Ancianas es una señal indicativa de su origen antiguo, probablemente protocelta, como así también de un culto muy difundido, del cual existen referencias en numerosos autores, irlandeses, galeses, ingleses y escoceses. Estos últimos, además de comparar a la *Cailleach Bheur* con la diosa griega *Artemisa*, la denominan: la hija de "*Grianan*, el sol pequeño", que en el calendario celta reina desde Samhain, el día de Todos los Santos, hasta la víspera de la fiesta de Beltayne, el primero de mayo, y es reemplazado por "*Urrgach*, el gran sol", que brilla desde Beltayne hasta Samhain.

La *Cailleach* merodea por las Highlands durante el reinado del "pequeño sol" y la noche anterior a Beltayne arroja su cayado bajo un acebo, su árbol preferido, y se transforma en una roca gris, lo que hizo que muchos menhires fueran consagrados a su culto. En otras versiones, la bruja, generalmente fea y desagradable, se transforma en una hermosa doncella y pasa la época cálida alternando con los humanos.

La tradición señala también que la *Cailleach* es el espíritu guardián de varios animales, entre los cuales se cuentan los ciervos, jabalíes (ambos muy importantes en la mitología celta), lobos, cabras y vacunos salvajes. También era la que custodiaba los manantiales, arroyos y fuentes, lo que la convertía, en parte, en un hada de las aguas, protectora de la pesca.

CAILLAG NY GROAMAGH

Es la "anciana de la oscuridad" de la Isla de Man, equivalente a la *Cailleach Bheur* escocesa, que tiene la característica de ser extremadamente desdichada pues, al tratar de saltar la grieta que lleva su nombre, en las alturas del Cronk yn Eiree Lhaa, resbaló y se precipitó al abismo, dejando impresa en la roca la huella de su talón.

Como todas las demás Ancianas, es un espíritu controlador del clima, aunque a diferencia de su versión escocesa, domina todos los climas, y no solamente el invierno. La tradición dice que, si el día en que se inicia el invierno hace buen tiempo, sale a recoger leña, pero si llueve o nieva, se queda en su casa y entonces hará que todo el invierno sea benigno, para su propio beneficio. Por consiguiente, si el 21 de diciembre es un día templado, será un mal presagio para el resto del invierno, y viceversa. Según una versión recogida en la región de Jutbar, al noroeste de la isla:

"Mi madre, que la había visto, decía que la Groamagh era muy alta, y tenía la cara pálida y dientes muy largos, con los que destrozaba a la gente. También decía que cuando se oía su rechinar de dientes, los vecinos se apresuraban a atrancar puertas y ventanas, porque la bruja metía los brazos por ellas y le arrancaba a la gente trozos de piel con las uñas.

Esa es la razón, además, para que las casas tengan pocas ventanas y para que el hogar esté en un rincón, lejos de ellas; es que antiguamente el fuego se hacía en el suelo y la gente dormía alrededor de él, hasta que, en una ocasión, la bruja atrapó a algunos niños pequeños a través de las ventanas".

GLAISTIG

En su aspecto físico, la *Glaistig* semeja una versión femenina de los *Sátiros* griegos, con la parte superior de su cuerpo con la apariencia de una hermosa mujer, mientras que la inferior, de la cintura a los pies, tiene forma de cabra, que disimula con una falda verde que le llega hasta el suelo. En el sentido mítico del término, en cambio, es una hembra-vampiro que, en muchas ocasiones, seduce a los hombres con el único propósito de beber su sangre.

La *Glaistig* es perversa por antonomasia, pero sólo con los varones jóvenes, ya que suele mostrarse amable y hasta bondadosa con los ancianos y los niños, a quienes acompaña en su camino y ayuda en sus labores agrícolas y de pastoreo, por un poco de leche y pan fresco. Con las mujeres, en cambio, es totalmente indiferente, a tal punto que son muy contados los casos en que una de ellas ha visto siquiera a una *Glaistig*. Existen dos versiones encontradas respecto de la *Glaistig*. Según una de ellas, viste de blanco y se la considera una asesina peligrosa, pero según la segunda versión, cuando viste de verde se comporta en forma similar a una *Banshee* y llora la muerte y la enfermedad de los integrantes de su clan preferido.

BEAN SHEE · BANSHEE · BAOBAN SHEE

Los tres términos corresponden al mismo personaje: el primero significa, literalmente, "mujer de los túmulos"; el segundo es una deformación fonética del primero, y el tercero es el nombre que se le da en las Highlands nororientales escocesas y las islas Orcadas, aunque en esta región representa a una súcubo malévola y vampira.

Lady Fanshawe, investigadora inglesa que vivió entre 1625 y 1676, narra:

"Nos habíamos hospedado en la mansión de Lady Honor O'Bryan, donde permanecimos tres noches. La primera noche, encontrándome en la habitación que me habían destinado, hacia la una de la madrugada me despertó una voz que parecía sonar fuera de mi ventana. Aparté la cortina y a la escasa luz de una luna menguante, pude divisar la silueta de una mujer vestida totalmente de blanco, con el pelo rojo y el rostro pálido y cadavérico, que en un susurro cuyo timbre jamás había oído, musitó por tres veces: 'Un caballo... un caballo... un caballo'.

Y a continuación, con un suspiro estertoroso, más gemido que aliento, desapareció entre los setos que bordeaban el río. Estaba tan asustada que se me pusieron los pelos de punta, de modo que corrí a la habitación de mi padre y lo desperté, contándole lo que me había pasado.

Demás está decir que ninguno de los dos volvió a dormir aquella noche, hasta que, hacia las siete, bajamos a desayunar y la dueña de casa nos comentó que no se había acostado en toda la noche, pues la había pasado acompañando a un primo suyo que se encontraba en trance de muerte, a causa de haber sido arrojado de la silla por un potro que había intentado domar.

-Desafortunadamente, falleció a las dos de la mañana. ¡Ah! y espero que no hayan tenido ninguna molestia durante la noche -agregó Lady O'Bryan en forma casual-, porque es costumbre de la región que, cuando alguien de la familia se encuentra próximo a morir, una forma de mujer, vestida de blanco y con el pelo rojo, se aparece en alguna ventana, todas las noches, hasta que la persona deja de existir.

'Cuentan que esta mujer -continuó la dueña de casa-, hace ya muchísimos años, quedó embarazada del dueño de esta mansión, quien la asesinó en ese mismo cuarto donde usted se encontraba, Lady Fanshawe, y que luego la arrojó al río que pasa bajo la ventana. Deberá disculparme, pero la preocupación por mi primo hizo que no pensara en ello cuando la alojé allí, pues ésa es la mejor habitación de la casa'.

Ni qué decir tiene -concluye Lady Fanshawe- que mi padre y yo no perdimos demasiado tiempo en buscar una excusa para continuar nuestro viaje, alejándonos lo más pronto posible de aquella casa".

BANDIT Y MAMAUGH

Traducido literalmente como "madres ladronas", el término *Bandit y Mamaugh* es el nombre genérico que se da a las hadas en la región del Lough Derg (Lago Derg), que marca el límite entre los condados de Limmerick y Tipperary; estas criaturas, sumamente traviesas, sustraen los caballos de los establos y los montan hasta matarlos de cansancio y, lo que es más peligroso, roban a los niños de sus cunas o los cambian por sus propios hijos, llamados "krymbills". La mayoría de las narraciones las menciona como mujeres muy feas, con rasgos de enanas y muy proclives a entrar en las casas durante la noche y revolverlo todo, sólo por diversión. Un antiguo cuento popular irlandés relata la sustitución de un niño por las *Bandit* y las distintas etapas que debió superar su madre para recuperarlo.

MOLINARI '99

Hace ya muchos años, cuando las Bandit y Mamaugh aún solían frecuentar las casas humanas, vivía en el pueblo de Kylmanagh una joven viuda que tenía un hermoso hijo varón, rubio como un sol, al que cuidaba como a la niña de sus ojos, pues las ancianas del pueblo le habían dicho que las hadas lo codiciarían y podrían robárselo. Desgraciadamente, así sucedió; una tarde aciaga, cuando el niño tenía poco más de un año y medio, la señora Sullivan oyó un extraño lamento fuera de la casa y salió a ver qué sucedía, pero cuando volvió junto a la cuna, no encontró en ella a su hijo, sino a una criatura pequeña, fea y arrugada como un anciano, que de inmediato le

indicó que su hijo había sido cambiado por las hadas.

Seis meses más tarde, ya segura de que se trataba de un krymbill, pues aquel ser no había crecido ni un ápice, a pesar de que comía como tres adultos, fue a consultar a la mujer más anciana del pueblo, de nombre Ellen Grey, quien tenía poderes mágicos, aunque ni ella misma recordaba cómo los había adquirido.

-Comprendo perfectamente tu dolor, señora Sullivan -le dijo Ellen, antes que la viuda pudiera contarle lo que le había sucedido-, y te diré que lo primero que debes hacer para asegurarte de que lo que hay en tu cuna es un duende, es someter a la criatura a la prueba de la pócima de cáscaras de huevo.

A continuación, la señora Grey le dio las instrucciones para preparar el brebaje y terminó diciendo: -Una vez que estés segura de que se trata de un krymbill, vuelve aquí que te diré el próximo paso a seguir.

Ya de regreso en su casa, la señora Sullivan puso de inmediato en práctica los consejos de la hechicera, para lo cual llenó una olla de agua, la colocó al fuego y, cuando estaba hirviendo, cascó una docena de huevos, arrojó su contenido a la basura y, en presencia del krymbill, metió las cáscaras en el agua. Y al preguntarle aquel ser qué estaba haciendo, ella le contestó que estaba preparando un brebaje para curar un ternero que había enfermado.

-He oído de muchas pócimas en mi vida, pero nunca que podía curarse un ternero con una pócima de cáscaras de huevo -contestó el duende, confirmando así su condición, pues el verdadero hijo de la viuda no sólo no hablaba debido a su corta edad, sino que jamás había oído hablar de pócimas.

Ahora que se encontraba segura de la sustitución, la viuda marchó de nuevo a consultar a la anciana, quien le dijo lo siguiente:

-Definitivamente, tu hijo está en poder de las Bandit, y el próximo paso es el decisivo; tendrás que conseguir un cordero totalmente negro, sin una sola hebra de lana blanca ni de ningún otro color, sacrificarlo y asarlo con piel y todo sobre un fuego de leña de roble, hasta que toda su lana haya desaparecido; en ese momento lo llevarás hasta la cuna del krymbill y verás lo que sucede.

Muchos días pasó la pobre viuda buscando un cordero negro, hasta que en un pueblo vecino consiguió uno oscuro como una noche sin luna, y siguió al pie de la letra las instrucciones de la curandera hasta que, con el cordero asado en sus manos, fue hasta el dormitorio del niño, pero cuando se inclinó para mirar al duende, éste había desaparecido, y desde la cuna le sonreía su verdadero hijo, delgado y ojeroso pero ¡dichoso al fin, por tener a su madre junto a él!

LUIDEAGH

"La harapienta", traducción literal de *Luideagh*, habita en el Lochan Feagh (el pequeño lago de la trucha blanca), emplazado entre los primeros faldeos de los Montes Grampianos, en las Lowlands (Tierras Bajas) escocesas.

Se trata de una sanguinaria hada malévola que acecha a los viajeros solitarios para violarlos y luego destrozarlos a dentelladas, dejando sus restos en medio de un camino transitado, para que los demás caminantes se aterren al verlos. Según la tradición escocesa,

"... su nombre proviene de su vestimenta: una vetusta falda verde de algodón y una blusa blanca, ambas prendas muy sucias y rotas en varias partes, y un par de zapatos de piel cuyas suelas desprendidas producen un ruido característico al andar. Al igual que casi todas las criaturas feéricas, puede cambiar de forma a voluntad, propiedad que utiliza para cazar a sus víctimas, adoptando la apariencia de un animal, una roca o un arbusto, para luego caer sobre el viajero desprevenido y asfixiarlo entre sus largos brazos, antes de devorarlo".

MBOI-TATÁ

Literalmente, "víbora de fuego"; deidad malévola femenina de la cosmogonía guaraní, afincada principalmente en Paraguay y Norte de la Argentina. Se la representa como una serpiente con cabeza llameante, ser en el cual se convierten al morir aquellas mujeres que han mantenido relaciones sexuales incestuosas o con representantes del clero. En algunas partes del Chaco Paraguayo se la describe también como un ave con alas flamígeras, que suele provocar el incendio de los bosques.

Bajo esta forma recorre la selva y los esteros, lanzando terribles alaridos de dolor por las quemaduras, hasta la madrugada, para volver a comenzar al anochecer del día siguiente. Así eternamente, hasta el día del Juicio Final, en que será perdonada si su castigo ha logrado hacerla arrepentir de su horrendo pecado.

También se la conoce en el sudoeste de Brasil donde, bajo el nombre de "passaro de fogo", adopta el carácter de protector de los bosques y de todas las criaturas de la Naturaleza.

LAS MOIRAS O PARCAS

Para la mitología griega, las tres *Moiras* (nombre latino: *Parcas*) determinaban el destino de cada niño que nacía. Las individualidades que componían el trío eran: *Cloto,* que hilaba la hebra de la vida, *Láquesis,* que la retorcía, y *Átropos,* que la cortaba al llegar el momento de la muerte.

Las deidades equivalentes a las *Moiras* en el panteón romano eran *Maratega,* anciana y frágil, pero que podía extender sus miembros hasta límites increíbles, *Rododesa,* que podía convertir sus manos y dedos en golosinas, y *Befana,* cuyas manos se transformaban en las tijeras que segaban el hilo de la vida.

Sin embargo, para la creencia popular, los deberes de las *Moiras* no están debidamente claros, y cada región tiene sus propias leyendas y narraciones acerca de las tres responsables del destino humano y, sobre todo, de su apariencia. Para algunos son ancianas decrépitas, encorvadas sobre sus implementos de hilanderas, mientras que, para otros, tienen rasgos macilentos y ojerosos de tanto trabajar por las noches o los labios abultados y colgantes por retorcer el hilo de la vida.

Para la mayoría de los artistas, las *Moiras* tienen nalgas enormes, de tanto estar sentadas frente a sus ruecas. En la Grecia antigua, los consejos de las *Moiras* eran sumamente apreciados, tanto por parte de las muchachas casaderas y las mujeres que se encontraban a punto de dar a luz, como por las mismas diosas y semidiosas del Olimpo, que las consultaban acerca de los destinos de sus descendientes. Según las antiguas tradiciones, la primera aparición de las *Moiras* se produce a la tercera noche de nacido el infante, en que llegan para predecir su futuro, aconsejarlo, advertirle sobre algunos puntos claves en su vida y estamparle sus marcas de nacimiento, tanto visibles como invisibles. Para este primer contacto, es preciso que la casa del infante se encuentre cuidadosamente preparada; todo debe estar limpio y barrido, y hay que tener preparada una mesa con pan recién horneado, hidromiel y tres almendras blancas, una para cada una de ellas.

Una muchacha, que contaba con un año de tiempo para preparar su ajuar, fue, sin embargo, incapaz de terminarlo por perezosa. Poco tiempo antes de la boda aparecieron tres mujeres para ayudarla, a condición de que las invitara a la fiesta. La primera de las mujeres se llamaba Nariz y su órgano olfatorio le llegaba a los pies como consecuencia de estar con la cabeza inclinada, tejiendo; la segunda tenía por nombre Labio, ya que éste le colgaba fláccido y prominente, de tanto humedecer el hilo que utilizaba para enhebrar sus agujas, y la tercera se llamaba Nalgas, pues tenía estas partes de su cuerpo tan grandes como las de una vaca, de tanto estar sentada hilando. Y cuenta la leyenda que el día de la boda, al ver el novio a las tres ancianas y enterarse de que su fealdad se debía a haberse pasado la vida tejiendo, cosiendo e hilando, le prohibió a su esposa que volviera a tocar una aguja en su vida, orden que ella obedeció de buena gana hasta el fin de sus días.

SÁCHAP MAMÁN

Deidad femenina del monte y los esteros santiagueños, especialmente en los alrededores de las costas del río Dulce. Asusta durante la noche a los viajeros desprevenidos que frecuentan los caminos vecinales, aunque sin adoptar una forma definida. Por lo general se aparece ante sus víctimas como una mujer gorda que camina a pocos metros por delante del caballo, aunque sin dejarse alcanzar, por más que el jinete apure el paso de su cabalgadura. Más de un transeúnte, apiadado de la mujer e impedido de reconocerla por la oscuridad, la cargó en ancas, haciendo que el animal perdiera la vida y quedando trastornado el hombre durante mucho tiempo, a causa de la impresión.

Existen versiones encontradas sobre su comportamiento, ya que algunos afirman que su aparición es signo de que una desgracia grande le va a suceder al que la ve, mientras que otros sostienen que aparece para guiar a los arrieros extraviados y ayudarlos a regresar al camino correcto.

Se la puede rechazar si se le muestra un crucifijo o la cruz del facón; de lo contrario, lo mejor es seguir camino, sin dirigirle la palabra, y esperar que llegue el primer canto del gallo, que es la señal para que desaparezca.

MUILEARTEACH

Es la forma que adopta la *Cailleach Bheur* en las Islas Flannan y las Hébridas Exteriores.

Su procedencia se remonta a épocas protoceltas y probablemente tenga un origen marino, aunque posteriormente se le confirió la facultad de salir a tierra y transformarse en mujer. En su apariencia usual adopta una forma de reptil, con una piel escamosa muy gruesa y áspera, cola de lagarto y un ríspido manojo de pelos que le cubre la nuca y la cabeza. Al transformarse en mujer, su aspecto no mejora en absoluto, ya que sus piernas mantienen la apariencia reptiliana y escamosa, conserva su cola y desarrolla brazos largos y huesudos, con enormes uñas aceradas, capaces de desventrar un toro de un solo zarpazo.

Su rostro presenta una boca desmesurada, con dientes afilados y desparejos que asoman entre los labios, y posee un solo ojo implantado en medio de la frente, a la manera de los cíclopes.

Existe una leyenda según la cual una Muilearteach se aproximaba a las casas en las noches de invierno, mojada y aterida, rogando que la dejaran calentarse junto al hogar, pero, a medida que iba entrando en calor, iba aumentando gradualmente en tamaño y ferocidad, hasta terminar destrozando la casa y sus habitantes. Sin embargo, esta leyenda es poco consistente, ya que hubieran sido muy pocos los crédulos que le permitieran la entrada en su casa a un ser con una apariencia tan horripilante.

EL CUSCÚS MÁGICO

África, también llamado —vaya a saberse por qué razones— "el continente negro", es sin duda el hábitat de infinidad de personajes mágicos que conviven con los seres humanos, en un extraño caleidoscopio de realidad y fantasía, donde la sabiduría y el conocimiento están siempre indisolublemente ligados a la magia, la hechicería y lo sobrenatural. Esta narración fue relatada como un hecho auténtico por un pastor de cabras bereber de la aldea de Ksar el Kebir, en la región marroquí del Rif.

Cierta vez, dos hermanos subieron al monte a cazar puercoespines.

Anduvieron todo el día trepando por las peñas y rebuscando una a una en todas las cuevas, pero sin encontrar nada. Finalmente, al llegar la noche se encontraban tan agotados que tuvieron que sentarse a descansar en una saliente de roca. Al ver que la oscuridad ya era total, decidieron esperar a que saliese la luna y aprovechar su claridad para no perderse en el camino de vuelta a su casa.

Y así se encontraban descansando tranquilamente, cuando oyeron un ruido como de palos que, golpeados, se entrechocaban unos con otros. Pero la curiosidad era demasiado grande; así que, tan pronto como salió la luna, se apresuraron en dirección al lugar de donde provenía el ruido y descubrieron que una vieja, acurrucada en el suelo, golpeaba un hueso contra una rama, mientras salmodiaba un cántico compuesto por palabras desconocidas para los jóvenes. A los pocos momentos de llegar ellos, la anciana se levantó del suelo y comenzó una danza extraña, llevando el compás con el sonido del palo contra el hueso.

Los hermanos se unieron a la danza y así, bailando y bailando, la luna se fue poniendo, hasta quedar, blanca y enorme, justo encima de la cabeza de la vieja. Pero lo más sorprendente fue que de la luna comenzó a fluir un chorro de agua que caía borboteando dentro de un cántaro que la anciana había puesto para ello. De repente, como flotando en el aire, apareció un muerto envuelto en su mortaja, que parecía que recién hubiera abandonado su ataúd. Sin perder tiempo, la bruja (pues ya no cabía duda de que eso era) tomó las manos del muerto, depositó un puñado de harina en ellas, agregó un poco de miel y frotó enérgicamente, hasta obtener una pasta muy fina y granulada. Finalmente los hermanos comprendieron lo sucedido: la bruja había preparado un cuscús mágico, cuyos efectos eran muy apreciados por algunas mujeres, ya que si una de ellas se lo daba a comer a su marido, éste la obedecía en todo, como un animal domesticado. Por ejemplo, si ella le dijera: "Ve a buscar a tus amigos e invítalos a comer", él lo haría sin dudar. Y cuando todos se reunieran alrededor de la mesa, si ella le dijera: "Ahora espera afuera hasta que yo te llame", él también lo haría y esperaría pacientemente, mientras ella se solazaría a voluntad con todos sus amigos. Entonces los hermanos comprendieron plenamente lo que estaba sucediendo; la vieja era una bruja malévola, que utilizaba sus artes de hechicera para preparar pócimas de magia negra, que luego vendía a las mujeres de su aldea, quienes pagaban por ellas su precio en oro. Ambos hermanos continuaron observando un largo rato las manipulaciones de la bruja y cuando pudieron comprobar que había preparado no menos de diez brebajes y ungüentos diferentes (de algunos de los cuales ni siquiera pudieron barruntar su propósito, pero comprendieron que estaban destinados a hacer infelices a muchos seres humanos), se arrojaron sobre la vieja, matándola inmediatamente y destruyendo todas sus preparaciones y los utensilios con que las había realizado.

Contenido

Diseño de cubierta: Estudio Tango

Diseño de interior: Amil

© 2000 Ediciones Continente

1ª Edición, abril 2000
3ª Reimpresión, junio 2003

ISBN: 950-754-074-1

Impreso en Argentina

Se termino de imprimir en los talleres de Color Efe,
Paso 192, Avellaneda, Buenos Aires, Argentina, en el mes de junio de 2003. Tirada 3.000 ejemplares.